的發展。[8]

　　再以人才產量的觀點來看本研究的重要性。吳宣德的《明代進士的地理分布》一書，爲研究明代學術人才的分布和培養，以及明代文化地理狀況的瞭解與認識，提供許多重要的參考。根據吳氏的量化研究，於針對明代全國各地進士的數量進行統計與分析後指出，明代南直隸的進士人數，在各種條件下都是名列前矛，爲各省之冠。他同時也認爲，作爲一個相對客觀的量化指標，進士數量的差異，的確可以在一定程度上反映不同地區間文化發展的狀況，並且這種差異，也意味著特定地區的文化、教育、社會等條件與其科舉成就之間，存在著一種相互影響的關係。而在這種差異背後，可能還存在著更需要關注的許多問題。[9]多洛肯的《明代浙江進士研究》，不但歸結出明代浙江進士產出的人數高居全國第二，更直接地把明代浙江刻書與藏書事業的發達，列爲當地進士人數眾多的主要原因之一，且進一步地說明由於明代浙江是藏書家較爲集中的地區，知名藏書家考中進士者，幾達三分之二。[10]基於這樣的認知，筆者乃計畫以區域藏書文化研究爲切入，透過以往針對明代江浙地區私家藏書史的研究經驗，深知藏書文化對一地的學術風氣與人才的培養，確實具有相當重要的影響力。而明代南京的文風鼎盛，歷來又爲江南重要的書籍和藝文產品之流通市場，因此，本地的私人藏書文化，自然也是一個值得深入探索的命題。

範圍的界定

　　在區域範圍的限定上，今日明代史的研究學者於探論「南京」時，通常抱持廣、狹二種見解。明代實行兩京制度，於京師（即北京）、南京等「兩京」附近，皆不設布政使司，轄內各府、州、縣，皆直隸朝廷，是爲「畿輔」。兩畿地區，分別稱爲「北直隸」和「南直隸」（即廣義上的南京，實爲江淮、安徽、崇明島廣大地區），也可稱爲「京師」和「南京」。南京畿輔，包含：應

8　王國強，〈中國古代藏書的文化意蘊〉，《圖書與情報》，2003 年第 3 期，頁 20-21。

9　吳宣德，《明代進士的地理分布》（香港：中文大學出版社，2009 年 2 月初版），頁 56-85。

10　多洛肯，《明代浙江進士研究》（上海：上海古籍出版社，2004 年 9 月第 1 版），頁 188。

天、鳳陽、蘇州、松江、常州、鎮江、揚州、淮安、盧州、安慶、太平、寧國、池州、徽州等 14 府，以及廣德、和州、滁州、徐州四個直隸州。*11*

　　本文所指「南京」，則採狹義的說法，即明朝陪都意義上的南京城，*12*也就是應天府與所領八縣。據《明史‧地理志》所載，元至正 16 年（1356）3 月，朱元璋攻下集慶，改集慶路爲應天府。洪武元年（1368）8 月建都，稱南京；11 年（1378），旋又改稱京師。成祖即位後，於永樂元年（1403）復稱南京，而應天府之稱爲南京，自此而定。明時南京（應天府）的領縣有八，包括：上元、江寧、句容、溧陽、溧水、高淳、江浦、六合等縣。*13*本文即以明代的南京（應天府及其轄下八縣）爲區域斷限，進行本地私家藏書的歷史文化性考察。

　　至於在時代的斷限上，由於藏書活動乃是文人生活文化的一部份，往往與地域風俗、地域文人習性，以及地域文學傳統等等多方面各種不同的文化現象息息相關，因此，不可能絕對地以改朝換代的政治因素加以斷定時代界限。中國史上的朝代興亡，其年代易斷，但是歷史上一些跨越前後兩個朝代的人物，在某些研究領域上，卻是難作歸屬。所以，廣義的明代人，應包含卒於洪武年間的元末人，以及生於明末、卒於清初的明代遺民，甚至是清史所謂的貳臣，即本來仕於明朝後來降清的大臣，其人之言行雖不足取，然於治明史者，則不可不加以探究。*14*有鑑於此，本文爲保留明代南京藏書文化的延續性，在斷代的取捨上，便以明代爲主，但也包括一小部份與明初有關的元末南京藏書家或藏書風尚，以及一小部份明末影響所及的清初南京藏書家或藏書文化，以維持區域藏書人文傳統在文化研究上的完整性。

　　此外，鑑於明代「藏書家」一詞的定義顯得比較不受限制，歷觀史冊所載，「藏書家」對於明人而言，確實是一個相當廣泛的混合概念，舉凡著述家及其

---

11 張英聘，〈略論明代南直隸修志興盛的原因〉，《江蘇地方志》，2005 年第 1 期，頁 20。

12 劉中平，〈明代兩京制度下的南京〉，《社會科學輯刊》，2005 年第 3 期，頁 127。

13 清‧張廷玉等，《新校本明史》（《中國學術類編》，臺北：鼎文書局，1998 年 8 月 9 版），卷 40，〈地理一‧應天府〉，頁 910-912。

14 王德毅，《明人別名字號索引》（臺北：新文豐出版股份有限公司，2000 年 3 月臺 1 版），〈敘例〉，頁 3。

後代、書畫收藏者、碑刻古器收藏者，以及古今書籍（包含軸、卷、冊、抄本等非今日所認定爲書籍的載體形式）的收藏者，不論其收藏量多寡，有無編製藏書目錄，只要是癖好藏書、熱愛圖書者，[15]皆可稱爲「藏書家」。因此，本文謹以史料上明白記載其人喜好藏書之掌故或特質，以及藏書事實發生於南京的在籍或僑寓人士，以此爲收錄原則，將他們列入明代的「南京藏書家」。

資料的處理

至於本文在資料的參考上，是以正史、明代文集、元明清筆記小說、明清地方志、明清書目與題跋，以及藏書學研究等資料，作爲主要的檢索對象。對於近人的論著，舉凡有關明代的私人藏書活動、南京區域文化研究、文人集團與文人生活等領域之成果，筆者皆一一爬梳整理，藉以做爲撰文時觀念的啓迪與參考的依據。

明人文集，在此是指集部中的別集類而言。明人別集，是明朝個人生命史的紀錄，也是同時代人物往來的生活紀錄，以及當代文人活動的記載，本來即屬歷史研究的範疇，也是社會生活中的重要史源之一。[16]在研究明代南京的藏書家時，往往可以藉由藏書家或其友人的文集，來發掘他們的藏書事蹟、心態觀念，以及藏書活動、藏書生活等各種相貌。因此，文集在本研究上，對於時代面向的瞭解與認知，的確頗有助益。

其次，明清地方志對於區域藏書家在人數的掌控與發掘，可謂貢獻匪淺，許多藏書家的藏書事蹟，往往是僅見於方志而已。尤其是一些已經亡佚的古籍，在方志內，往往也能找到一些蛛絲馬跡，這對於藏書家身份的證實，起著很大的作用。此外，在風俗文化、地域視野的觀察方面，地方志的作用更是不容忽視。地方志與正史不同之處，在於更多角度地反映區域社會生活，突出的敘述

---

15 陳冠至，〈論中國古代「藏書家」的定義：以明代爲例〉，《教育資料與圖書館學》，第 48 卷第 1 期，2010 年秋，頁 132。

16 吳智和，〈明人文集中的生活史料──以居家休閒生活爲例〉，收入中國明代研究學會編，《明人文集與明代研究》，臺北：中國明代研究學會，2001 年 12 月初版，頁 135。

地域性社會現象和自然現象，[17]這些正是地方志在社會生活史與文化史上的珍貴之處。

　　根據筆者的觀察，近年來臺灣有關藏書史的研究成果，按其內容屬性，約可分爲七大面向：（一）藏書理論、思想與方法；（二）版本、書目與題跋等文獻學領域；（三）藏書史；（四）中國藏書家研究；（五）藏書文化與傳播；（六）臺灣藏書研究；（七）外國藏書研究等方向。[18]其實，這七個方向的意涵，也就是近年來臺灣地區藏書研究的趨勢。而地域藏書文化的研究，也是當中非常重要的一環。目前與本文題旨相關的研究成果，在專書部份，主要有：吳晗《江浙藏書家史略》[19]、汪闇《明清蟫林輯傳》[20]、顧志興《浙江藏書家藏書樓》[21]與《浙江藏書史》、楊立誠與金步瀛合著的《中國藏書家考略》[22]、鄭偉章、李萬健合著《中國著名藏書家傳略》[23]、李玉安與陳傳藝合著的《中國藏書家辭典》[24]、梁戰與郭群一合著的《歷代藏書家辭典》[25]、任繼愈《中國藏書樓》[26]、范鳳書《中國私家藏書史》[27]、傅璇琮與謝灼華合著的《中國藏書通史》[28]、薛愈《山西藏書家傳略》[29]、蔡焜與曹培根編著《常熟藏書家

17 韓養民，〈中國風俗文化與地域視野〉，《歷史研究》，1991 年第 5 期，頁 93。

18 陳冠至，〈近十年臺灣地區藏書研究述要（1998-2007）〉，《新生學報》，第 4 期，2009 年 7 月，頁 180-181。

19 吳晗，《江浙藏書家史略》（臺北：文史哲出版社，1982 年 5 月初版）。

20 汪闇，《明清蟫林輯傳》（九龍：中山圖書公司，1972 年 12 月香港初版）。

21 顧志興，《浙江藏書家藏書樓》（杭州：浙江人民出版社，1987 年 11 月第 1 版）。

22 楊立誠、金步瀛，《中國藏書家考略》（臺北：文海出版社，1971 年 10 月初版）。

23 鄭偉章、李萬健，《中國著名藏書家傳略》（北京：書目文獻出版社，1986 年 9 月第 1 版）。

24 李玉安、陳傳藝，《中國藏書家辭典》（武漢：湖北教育出版社，1989 年 9 月第 1 版）。

25 梁戰、郭群一，《歷代藏書家辭典》（西安：陝西人民出版社，1991 年 10 月第 1 版）。

26 任繼愈，《中國藏書樓》（瀋陽：遼寧人民出版社，2001 年 1 月第 1 版）。

27 范鳳書，《中國私家藏書史》（鄭州：大象出版社，2001 年 7 月第 1 版）。

28 傅璇琮、謝灼華，《中國藏書通史》（寧波：寧波出版社，2001 年 2 月第 1 版）。

29 薛愈，《山西藏書家傳略》（太原：山西古籍出版社，1996 年 8 月第 1 版）。

與藏書樓》[30]、劉尙恒《徽州刻書與藏書》[31]、王長英、黃兆鄆《福建藏書家
傳略》、王紹仁主編《江南藏書史話》[32]，沈新林主編《明代南京學術人物傳》
[33]，以及筆者所撰《明代的蘇州藏書》[34]、《明代的江南藏書》[35]等。期刊暨論
文部份，主要有：袁同禮〈明代私家藏書概略〉[36]、項士元〈浙江藏書家考略〉
[37]、蔣復璁〈兩浙藏書家印章考〉[38]、日人宮內美智子〈明代私家藏書考〉[39]、
陳師昭珍《明代書坊之研究》[40]、郭姿吟《明代書籍出版研究》[41]、麥杰安《明
代蘇常地區出版事業之研究》[42]、許媛婷《明代藏書文化研究》[43]，以及前引
筆者發表的一些論文等。綜上諸文，都是研究明代南京藏書家的藏書活動與藏
書生活，必須參考的基本材料；而本書述及之明代南京以外的藏書家，其具體

---

30 蔡焜、曹培根，《常熟藏書家與藏書樓》（上海：上海文化出版社，2002 年 8 月第 1 版）。

31 劉尙恒，《徽州刻書與藏書》（揚州：廣陵書社，2003 年 11 月第 1 版）。

32 王紹仁，《江南藏書史話》（上海：上海古籍出版社，2009 年 6 月第 1 版）。

33 沈新林，《明代南京學術人物傳》（南京：南京大學出版社，2004 年 3 月第 1 版）。

34 陳冠至，《明代的蘇州藏書—藏書家的藏書活動與藏書生活》（臺北：花木蘭文化出版
　　社，2007 年 3 月初版）。

35 陳冠至，《明代的江南藏書—五府藏書家的藏書活動與藏書生活》（臺北：花木蘭文化
　　出版社，2006 年 9 月初版）。

36 袁同禮，〈明代私家藏書概略〉，收入洪有豐、袁同禮等編，《清代藏書家考》，九龍：
　　中山圖書公司，1973 年 1 月初版，頁 73-80。

37 項士元，〈浙江藏書家攷略〉，《文瀾學報》，第 3 卷第 1 期，1937 年 3 月，頁 1689-1720。

38 蔣復璁，〈兩浙藏書家印章考〉，《文瀾學報》，第 3 卷第 1 期，1937 年 3 月，頁 1721-1745。

39 日‧宮內美智子，〈明代私家藏書考〉，《青葉学園短期大学紀要》，第 4 號，1979 年
　　11 月，頁 121-126。

40 陳昭珍，《明代書坊之研究》（臺北：國立臺灣大學圖書館學研究所碩士論文，1984 年
　　7 月）。

41 郭姿吟，《明代書籍出版研究》（臺南：國立成功大學歷史研究所碩士論文，2002 年 6
　　月）。

42 麥杰安，《明代蘇常地區出版事業之研究》（臺北：國立臺灣大學圖書館學研究所碩士
　　論文，1996 年 5 月）。

43 許媛婷，《明代藏書文化研究》（臺北：中國文化大學中國文學研究所博士論文，2003
　　年 6 月）。

藏書事蹟，因與題旨較無關係，亦請讀者參考互見於以上諸家撰著，文內不另贅說。

方法與目標

本文採用一般的歷史研究法，首先藉由史料的蒐集並加以過濾、旁證，再利用歸納法推出或衍生合理的解釋與結論。針對明代南京藏書群體的觀察，透過「群體傳記學」的理論與方法，冀能還原明代南京私人藏書文化的眞實樣貌。筆者認為，如果將人的行為視為一系列語言陳述所表達的取捨抉擇，並視此為文本，則已設定一種可觀察、可驗證的文化研究之對象。而觀察、研究之方法，便是分析與詮釋。分析詮釋的方法，並非唯一，可能不是最佳之研究文化的方法，但卻不失為一種可行的方式。其邏輯之自律，方法之嚴縝，並不逮於自然科學，但並不以預測、控制對象為目的。所以，於研究本題之時，筆者也搭配使用一些量化或統計的數據，盡可能從史料當中將明代南京的藏書家一一查出，雖可能掛一漏萬，但仍是依照抽樣調查的原則，對於明代南京地區藏書家的社會文化現象，做一些深入性地觀察、分析、行為推衍與結論，再以這些方式得出的結果，作為本文解釋歷史現象的依據。

圖一：明代《應天府境方括圖》。[44]

---

[44] 圖片轉引自：明・陳沂，《金陵古今圖考》（南京：南京出版社，2007 年 1 月 1 版 2 刷），頁 92。

第二章　明代南京私人藏書事業發展的背景因素

第一節　政治環境的影響

一、太祖、成祖對中央政府藏書的重視

　　明祚肇興，太祖（朱元璋，1328-1396）定鼎南京，號召天下，勵精圖治，對於新政府的圖書事業尤其重視。「洪武初，大將軍徐達（1332-1385）等平元都，收其圖籍經傳子史凡若干萬卷；輦至京師藏書府，嘗召儒臣進講以資至治。閒有西域書數百冊，文殊字異，無能解者。」[1]太祖收貯胡元遺書，立意深遠，除自身與後來繼位者的進學外，也要求宗藩貴冑、南京的臣工和士子們，一體向學，爲往後大明政權的建設工作，提供堅實的知識基礎，作育英材，以便將來爲新政府服務。

　　太祖不但收編了元朝內府的藏書，移貯於南京的文淵閣，還下令廣求天下遺書，以充內府，務求中央政府藏書的齊備。成祖御極，繼續太祖未竟的藏書志業，大加擴充了南京文淵閣的館藏規模，爲明人所津禁樂道，讚云：「我高皇帝再闢乾坤，弓矢未韜，而購書之令已出；文皇帝重新日月，干戈甫戢而採輯之功尤勤。列聖相承，莫不研摩奧義，咀茹聖眞，……于是琰琬之所陳，竹帛之所紀，若鱗比川至，無不畢共。乃襲之以重函，庋之以邃樓。而天下稱藏書者，必曰文淵閣，蓋窮宛委之勝不能殫受，燃太乙之藜未可竟覽，自有書契

---

[1] 明·呂留良，《呂晚邨文集》（臺北：臺灣商務印書館，1977年3月初版），卷5，〈西法歷志序〉，頁3上。

以來，此其總萃矣！臣竊伏而思之帝王之學，非如文人藝士，徒以獵英藻、資博洽也；祖宗儲書之意，亦非欲手披目覽，貽聖子神孫以勤也。若曰是書之藏，千聖精神心術之所昭，百代經緯典章之所寄，萬幾之餘，時一省覽，必足以啓迪性靈，神助元化。而三事大夫奉詔典機務者，亦得縱觀其間，庶幾效帷幄之忠言，資參贊之大略，淵哉！徵乎藏書之意矣！」[2]

經過明初兩位英明君主的宏揚聖道，於是成就了有明一代最具代表性的中央政府藏書機構—文淵閣。文淵閣藏書事業的落實，以及太祖、成祖對圖書與藏書事業的重視和積極作為，對於明初南京公、私藏書風氣的開拓，當然也十分重要。大學士高拱（1512-1578）嘗論及文淵閣藏書建設的重要性，曰：

> 自古帝王開一代之治，靡不蒐羅往籍，珍藏祕府，斯示以敦篤文教，恢宏睿覽，資碩臣之論討，垂典則于來茲，甚盛軌也。……我國家稽古右文，高皇帝甫起草昧定天下，即下求遺書，之令方內文士，抱冊而鱗集闕下。迨文皇帝定鼎燕京，益廣購求，設文淵于午門之東樓而藏之。列聖蒙業，益儲益富，上自六籍，下及諸子百家，煌煌乎東壁齊光，西崑並耀矣！即皇上欲有所攷，立取立具，所以啟聖聰而資鴻猷者甚備。而二三閣臣，執筆立閣下，得仰窺金匱石室之藏，以自潤色。……我國家重熙累洽，文治休明，晏然享盤盂之安，垂數百年，詎可謂非稽古之功哉！則茲閣所藏，其繫豈渺小矣！……我皇祖所為藏諸禁地，寄以輔臣，毋亦謂是裁成輔相之資，欲聖子神孫其朝于典墳，夕于丘索也。而閣臣職在論思，玩索有得，庶幾可以啟心沃心，佐成無疆之業哉！此其垂訓，意至深遠也。……我皇祖建閣之意謂何抑？臣聞古之善觀書者，其學之也博，其取之也約。蓋高皇帝嘗謂詹同曰：「吾宮中無事，輒取

2　明‧張萱，《西園聞見錄》（《明代傳記叢刊》116，臺北：明文書局，1991 年 10 月初版），卷 8，〈藏書‧往行〉，頁 69 上-下。

孔子言觀之，如節用愛人等語，其治國之良規。」大哉聖學，豈不誠善觀書者哉！茲聖子神孫之著鑑，而閣臣所當心繹以佐太平者也。[3]

由高拱之論，可見明代列朝君王對中央政府藏書事業的用心經營，尤其是太祖與成祖於南京時期政府藏書的開端與宏規，影響十分深遠，對於日後襄贊君主之治行，大臣施政之參考，政治之清明穩定，宗室文化素養的提升，都有很大的助益。

太祖於吳元年（1367）時開始進行南京宮殿的建築工程，文淵閣亦即建於此時。最初的目的，是為了貯藏古今書籍，以供新政府使用。當徐達於洪武元年攻破元大都，盡收元朝政府的藏書及其書板運到南京後，就把圖書貯放於文淵閣、「大本堂」等處，書板則藏在國子監，此後太祖便經常在文淵閣覽閱典冊，召大臣講解。成祖登基後，初期仍駐南京，發現南京文淵閣藏書闕略的情況相當嚴重，便召禮部尚書鄭賜，命他選擇一些知曉典籍者，四出購求天下書籍。據載：

> 成祖視朝之暇，輒御便殿閱書，或召儒臣講論，弗輟也。嘗問：「文淵閣經、史、子、籍皆備否？」解縉（1369-1415）對曰：「經、史粗備，子、集尚多闕。」上曰：「士人家稍有餘貲，便欲積書，況於朝廷，其可闕乎？」遂召禮部尚書鄭賜（？-1408），令擇通知典籍者四出求遺書，且曰：「書值不可較價直，惟其所欲與之，庶奇書可得。」復顧縉等曰：「置書不難，須常覽閱乃有益。凡人積金玉亦欲遺子孫，金玉之利有限，書籍之利豈有窮也？」[4]

3　《西園聞見錄》，卷8，〈藏書・往行〉，頁68上-69上。

4　明・祁承㸁，《澹生堂藏書約》（《知不足齋叢書》2，臺北：興中書局，不注出版年），〈聚書訓〉，頁11上。

經過成祖的大力整治，南京文淵閣藏書變得十分齊備，典藏數量大增。尤其是他對藏書的重視和對圖書徵集的態度，認爲「士人家稍有餘貲，便欲積書」、「書値不可較價直，惟其所欲與之，庶奇書可得」，這與古代很多知名藏書家的藏書與求書觀點相同，顯示成祖的藏書性格特徵，相信對於日後南京的私人藏書風氣的推廣，以及在圖書蒐集上的啓發，一定會產生許多重要的影響。

永樂 19 年（1421），北京皇宮規制初成，文淵閣建於午門內東樓，文華殿之南，其功用與南京文淵閣完全相同。有明一代，北京文淵閣藏書雖然曾經有闕略與管理不善的情況，然至明末，其藏書之富仍令時人稱美。明末文士劉應秋（1547-1620）嘗論北京文淵閣藏書之富，說道：

> 我國家稽古右文，超軼往代。直殿之東，建文淵閣，盡蒐古今諸秘書實其中，以備覽觀。登斯閣也，則見爛如綺合，燦然星列；又如過萬家之市，文具輻湊，奇珍充斥，不勝異觀狩與盛矣！……今攷所藏書，上列天文，下窮輿圖，中備人事，旁盡物情，自謨訓典誥以及稗官野史之所編裁，由宮閒廊廟以洎八荒九夷之所謠譯，纖鉅畢在爛焉卷帙間。……豈非天啟一代文明之治，視古特隆，故數百年所汗漫于天下者，悉聚內府。[5]

馬世奇（?-1644）也說：「我高皇帝開天祚極，建文淵閣，收天下圖書藏之。而文皇帝功烈丕成，增購六倍，用以垂訓後裔，流昭今茲。臣仰而嘆曰：『赫矣壯乎！洵奎璧之垣，琬琰之林矣！』」[6]值得注意的是，北京文淵閣藏書的規制實肇始於南京文淵閣藏書。初遷北京之時，成祖爲充實北京文淵閣圖書的庋藏量，曾下令由南京文淵閣現藏書籍當中，凡一部以至百部之多者，各取其一，運往北京，以充北京文淵閣之藏。《儼山外集》載：

---

5 明・劉應秋，《劉大司成文集》（臺北：中央研究院藏明吉水劉氏家刊本），卷 4，〈文淵閣藏書記〉，頁 1 上-2 下。

6 清・孫琮，《山曉閣選明文全集》（臺北：中央研究院藏清康熙 16 年刊本），卷 22，馬世奇〈文淵閣藏書樓記〉，頁 47 上。

> 我太祖高皇帝於至正丙午（26 年，1366）秋命求遺書；太宗文皇帝遷都
> 北京，勅翰林院凡南京文淵閣所貯古今一切書籍，自一部至有百部以
> 上，各取一部送京。[7]

成祖此舉，更見南京文淵閣藏書之富，除足以分給北京文淵閣外，本身仍保有十分可觀的藏書量。而最能體現南京文淵閣藏書之淵博者，莫過於《永樂大典》的編纂了。《永樂大典》是成祖在南京時敕修的鉅大手筆，完全利用南京文淵閣的藏書，一共收錄了古今圖書七、八千種，包括經、史、子、集、釋藏、道藏、北劇、南戲、評話、工技、農藝、醫學、志乘等學科文獻，凡 22,877 卷，被視爲集明初以前歷代文獻之大成，讓許多已經亡佚之書，都得藉此而重現於世。[8]《永樂大典》的成書，足證明初兩位君主對中國古代圖書事業的偉大貢獻，也說明當時南京的藏書十分豐富。[9]而他們的努力，必定也對推動明代南京圖書事業與藏書事業的發展，起著重要的歷史作用。

國家和官府藏書以其政權的強制力量，以及對前朝典籍的繼承，往往可以形成很大的規模。尤其是明代的內府藏書，不僅數量多，且質量也很高。[10]然而，明代國家和官府藏書雖然累積歷代所藏，且在數量上頗爲可觀，但就當時天下的讀書人而言，那都是皇帝個人的私有財產，其使用率顯得非常低。當然，這也是古代國家藏書的通病。因此，具有相當獨立性和個人色彩的私家藏書活動，就日益興旺發達起來，並在整個民族文化的積累和發展中，產生日益突顯的特質。[11]

7　明‧陸深，《儼山外集》（《景印文淵閣四庫全書》子部 885，臺北：臺灣商務印書館，1986 年 3 月初版），卷 16，〈續停驂錄中〉，頁 15 上-下。

8　王國強，〈明代文淵閣藏書考述〉，《圖書與情報》，2002 年第 2 期，頁 35。

9　曉荷、好虛，〈中國的藏書文化與私家藏書樓〉，《中國文化遺產》，2006 年第 5 期，頁 52。

10　石洪運、陳琦，《圖書收藏及鑒賞》（武漢：湖北人民出版社，1998 年 10 月初版），頁 178。

11　《圖書收藏及鑒賞》，頁 178。

　　總之，明初太祖定都南京，即使在永樂遷都北京後，南京仍然保留大量的官府藏書。儘管日後南京的藏書無法與北京分庭抗禮，但是南京官府藏書的長足發展，此為不爭的事實。何況南方的書院、儒學藏書系統，遠比北方發達，都為明代南京私人藏書的拓展，提供文化上的有利條件。另一方面，南方藏書事業的發達，也與江南的著述業、出版業、圖書運銷業相輔相成，一同促進了南方社會與學術文化的全面繁榮和進步。實際上，一個地方藏書事業的盛衰，也代表著一個地方的政治、經濟、文化、學術等面向的盛衰。[12]

二、明初南京國子監刻書事業的發達

　　除了文淵閣外，南京國子監藏書的發展亦是明初中央政府藏書事業的另一項重點成就，其刻書與藏書的活動一直維持到明末，從沒有間斷，為明朝南京藏書事業的重要指標。洪武元年，明軍攻入元大都，封存元朝皇室的藏書，內容包含宋、金、元的三朝舊藏，悉數運往應天府（南京）。其中，大部份被貯存於文淵閣，一部份置放在「大本堂」，以備太子與諸王學習之用。[13]除文淵閣與「大本堂」外，東閣、華蓋殿、弘文館、國子監，皆為明代南京中央政府的藏書處所。[14]明太祖很注意國家的文化教育事業，千方百計地從四方詔求遺逸典冊，同時刊印頒布許多經、史、子、集四部圖書，用以教化宗室、臣工和全國百姓。[15]帝王對藏書事業的重視與提倡，相信對南京的藏書文化風氣，必定產生一定的鼓舞作用，所謂上行而下效，便是如此。

　　太祖積極地經營國家的教育與文化事業，首先表現在對學校教育的重視。元至正 16 年（1356）年，太祖攻克金陵，即先將當時集慶路的儒學改為國子學。洪武 2 年（1369）命重造國學，並諭曰：

12　王國強，〈中國古代藏書的文化意蘊〉，頁 22-23。

13　汪桂海，〈大本堂考〉，《文獻季刊》，2001 年第 2 期，頁 104-108。

14　許廷長，〈明代南京皇室藏書史述〉，《中國典籍與文化》，1997 年第 4 期，頁 57-59。

15　葉樹聲，〈明清金陵坊刻概述〉，《山東圖書館季刊》，1985 年第 4 期，頁 23。

朕惟治國以教化為先，教化以學校為本。京師雖有太學，而天下學校未
興。宜令郡縣皆立學校，延師儒，授生徒，講論聖道，使人日漸月化，
以復先王之舊。[16]

除南京國子監外，太祖更將國學的精神與功能推廣到全國，要求天下各郡縣都
要興辦學校。然要辦學，就離不開知識份子，更離不開圖書，這使得太祖不得
不特別地注重南京圖書事業的發展。[17]

　　洪武 15 年（1382），再度新建國學，並改稱國子監。永樂 19 年（1421），
成祖遷都北京，亦設京師國子監，於是國子監至此分為南、北二所。茲考明代
國子監規制為：正堂一，名「彝倫堂」；支堂六，曰：「率性」、「修道」、
「誠心」、「正意」、「崇志」、「廣業」。正堂和支堂均有藏書，也收藏很
多印書的書板，兩者之規模與數量都相當可觀。[18]

　　太祖定都南京後，由於當時宋元的官刻書板都集中在杭州的西湖書院，為
就近方便管理、保存與使用，於是下令將這些書板全數運送到南京，並略加修
補，然後都存放到南京的國子監裡頭，使得國子監成為當時宋元雕板之集大成
者，也使南京從此成為明代全國的刻書中心。明人有云：「國初書版，惟國子
監有之，外郡縣疑未有，觀宋潛溪（宋濂，1310-1381）〈送東陽馬生序〉可知
矣。」[19]據今人考證，明代南京國子監書板的來源，除前述元朝集慶路儒學的
舊藏書板，以及杭州西湖書院所藏的書板外，尚有來自各地方與其他機構移送
到監的書板，加上南京國子監自行開雕的書板等，共計可達 300 種以上。[20]一
直到明末，利用南京國子監存貯的書板來刊印書籍，仍然時有所聞。例如：

16　清‧張廷玉，《明史》（《百衲本二十四史》，臺北：臺灣商務印書館，1988 年 1 月臺
　　6 版），卷 69，〈選舉一‧學校〉，頁 13 上。

17　文毅，〈明代私人藏書興旺原因及特徵〉，《黔南民族師專學報》，1999 年第 2 期，頁
　　99。

18　王增清，〈明清國子監的藏書和利用〉，《高校圖書館工作》，1993 年第 1 期，頁 30。

19　明‧陸容，《菽園雜記》（《元明史料筆記叢刊》，北京：中華書局，1997 年 12 月第 1
　　版第 2 刷），卷 10，頁 128-129。

20　周蓉，〈明朝南京國子監刻印書考略〉，《東南文化》，2003 年第 10 期，頁 67-68。

嘉靖初，南京國子監祭酒張邦奇（1484-1544）等，請校刻史書，欲差官購民間古本。部議恐滋煩擾，上命將監中十七史舊板考對修補，仍取廣東《宋史》板付監，遼、金二史無板者，購求善本翻刻。十一年（1532）七月成，祭酒林文俊（1427-1536）等表進。[21]

綜觀有明一代，南京國子監在教書育人的同時，其實也刻印過不少重要的書籍，當時官生在授書、讀書之餘，亦皆積極地參與刻印圖書的許多相關活動。[22]

　　明代南京國子監的刻書事業，在當時的官府刻書當中，具有重要的地位。其刻書經費的來源，有許多途徑，例如：戶部、禮部、工部的撥款或承擔刻印、地方官署的贖鍰、官員捐俸、變賣庵寺銀、組織監生參與等方式。[23]根據明人周弘祖所撰《古今書刻》的記載，南京國子監先後刻印的圖書，高達 270 種之多。明代南京國子監刻書之所以能夠如此多產，究其原因，約略有三：首先，南京國子監爲全國最高學府，人才薈萃，爲刻書提供雄厚的學術實力。其二，南京國子監的大量藏書，不僅爲刻書提供底本，也爲校勘時的重要依據。其三，多方面的經費來源，爲刻書活動提供充足資金。[24]

　　明代圖書事業的發達，其實與政府的態度與政策上的多方鼓勵，有很大的關連性。首先，是帝王對藏書與刻書活動的重視。明祚肇興，太祖便有書籍免稅的規定，這對明代圖書事業的發展來說，確實是一個非常好的開始。洪武元年八月，太祖下令：凡「書籍、田器等物，不得徵稅。」[25]太祖對圖書出版採取的寬鬆政策，與之前「元人刻書，必經中書省看過下所司，乃許刻印」[26]的

21　清·顧炎武，《原抄本日知錄》（臺北：文史哲出版社，1979 年 4 月初版），卷 20，〈監本二十一史〉，頁 519-520。

22　張小青，〈明代南京國子監刻印圖書述略〉，《江蘇圖書館學報》，1996 年第 3 期，頁 45。

23　楊軍，〈明代南京國子監刻書經費來源探析〉，《圖書館雜誌》，2006 年第 7 期，頁 77。

24　曹之，〈明代南監刻書考〉，《晉圖學刊》，1990 年第 2 期，頁 59-62。

25　明·夏原吉等，《明太祖實錄》（臺北：中央研究院歷史語言研究所，1984 年 5 月再版），卷 34，頁 9 上-下，洪武元年 8 月己卯條。

26　《菽園雜記》，卷 10，頁 129。

嚴格限制作風，形成強烈對比，對於日後南京圖書事業的發展與活絡，不啻提供相當堅實的基礎條件。再加上明初大臣們對皇帝重視圖書事業的認同與肯定，甚至上奏要求全面開展國內圖書活動相關事宜，主張由政府主辦全國圖書出版業務，並轉發民間承包刻書與圖書運銷事務，下令關津免稅。例如洪武初，解縉向太祖建議說：

> 一宜令天下投進詩書著述，官為刊行。令福建及各處書坊，今國學見在書板，文淵閣見在書籍，參考有無，盡行刊完。於京城及大勝港等處，官開書局，就於局前立碑，刻詳書目及紙墨二本，令民買販，關津免稅。每水陸通會州縣，立書坊一所，制度如前。[27]

這項建議，得到太祖的允許，並加以落實。到了「洪武二十三年（1390），福建布政使司進《南唐書》、《金史》、蘇轍《古史》。初，上命禮部遣使購天下遺書，令書坊刊行，至是三書先成，進之。」[28]可見帝王對圖書事業的影響甚鉅，尤其是明太祖在南京推行的圖書政策，對明代南京藏書文化與風氣的推展，不論是官藏與私藏，都產生重要的影響力。

三、明代官員的愛書性格

誠如前述，明初大臣對書籍的熱衷不下於皇帝，這應與明代實行科舉取士，官僚集團的成員主要來自於讀書人有關。太祖與成祖對南京文淵閣藏書、國子監藏書與刻書的經營，其實都接受過許多大臣的意見、支持與肯定，且透過大臣們的積極配合辦理，才開啟了明代南京圖書事業發展的美好前景。例如建文2年（1400）在南京國子監擔任典籍的金礦，便曾為保護明初來自四方而貯藏於國子監的珍貴書板，作出重要的貢獻。《西園聞見錄》載：

27　明・解縉，《文毅集》（《景印文淵閣四庫全書》1236，臺北：臺灣商務印書館，1986年3月初版），卷1，〈太平十策〉，頁16上-下。

28　《儼山外集》，卷22，〈中和堂隨筆上〉，頁12上。

金礪，字汝用，仁和人。洪武末，以鄉薦高等登乙榜，授教職。永樂庚辰（建文二年，1400），始擢國子典籍。時四方書版多送京師，詔寘諸太學，無所于儲，礪慮其散，乃聚米箪為蓬，屋中置架以度焉！旦夕謹視，隨闕輒補。有刷印者，使人去其凝積，毋致潰敗。故梓刻得傳至于今者，礪之功也。**29**

由於金礪的努力，才使得南京國子監的書板得以自明初沿用至明末，對於明代南京的藏書與刻書事業，居功厥偉。

此後，歷朝大臣往往延引太祖與成祖喜好圖書事業的故事，規勸君主重視中央政府的藏書。弘治 5 年（1492），文淵閣大學士丘濬（1418-1495）上奏建請朝廷仿傚兩位聖祖，訪求天下遺書，以充實國家的藏書，並將藏書活動推廣至全國。其奏云：

高皇帝當至正丙午之歲，始肇帝業，首求遺書。既平元都，得其館閣祕冊。又廣購民間，一時所積，不減前代。太宗當多事之時，猶集儒臣纂《永樂大典》，以備攷究。今承平百年，中外無事，烏可使經籍廢墜？夫庶民之家，遷徙不常，好尚不一，既不能廣有儲藏，即儲藏亦不能久遠，所賴石渠、邃閣積聚之多，收藏之富，扃鐍之固，類聚者有掌故之官，闕略者有繕寫之吏，損壞者有修補之工，散佚者有購訪之令，然後不致廢壞闕失。前代藏書之多，有至三十七萬卷者，近內閣書目，不能什一。數十年來，在內未聞考核，在外未聞購求，及今失之，恐遂放佚。……國朝罷前代臺、監、館、閣、省之官，并其任于翰林院，設典籍二員，掌文淵閣書籍。南京國子監雖設典籍，僅掌累朝頒降之書及舊鋟書板而已。今請敕內閣所藏書籍，令學士以下督典籍官彙若干冊，冊若干卷，撿其有複本者，分貯一冊于兩京國子監，若內閣所無或不備者，乞敕禮部行天下提學官，榜示購訪，俾所在有司校錄呈送。其藏書之所

二，在京師曰：內閣，曰：國子監；在南京，曰：國子監。使一書而存數本，一本而藏三所。每歲三伏時，令翰林院僚屬，同赴閣監曝書，畢事扃鑰。廷臣有事欲稽攷者，奏請詣閱以為常規，則于文治有裨焉！[30]

丘濬主張由國家負起全國藏書事業的重任，以補民間私人藏書之不足。此議得到孝宗的嘉許與採納，於是下詔廣求遺書，同時整治南、北兩京的國家藏書，使得久未修葺的南京國子監藏書，再度煥然一新。

萬曆時期，南京的藏書家焦竑，時任翰林修撰，直講東宮，對於中央政府的藏書事業，他也十分關心，並且提出具體的藏書之法。他上奏云：

古之良史，多資典故，會稡成書，未有無因而作者。即今金匱石室之中，常備有載籍，以稱昭代右文之治。臣向從多士之後，讀中秘之書，見散失甚多，存者無幾。……國初聖祖伐燕，屬大將軍收秘書監圖書典籍、太常法服、祭器儀衛，及天文、儀象、地理、戶口、版籍。既定燕，詔求遺書散民間者。永樂初，從解縉之請，令禮部擇通知典籍者，四出購求遺書。合無倣其遺意，責成省直提學官加意尋訪，見今板行者，各印送二部。但有藏書故家，願以古書獻者，官給以直；不願者，亦鈔寫二部，一貯翰林院，一貯國子監，以待纂修誦讀之用。即以所得多寡，為提學官之殿最。書到，置立簿籍，不時稽查，放失如前者，罪之不貸。此不但史學有資，而於聖世文明之化，未必無補。[31]

江西新建縣的張位（1538-1605），時官翰林學士，兼管中央政府的藏書事業，也曾經上疏「請令史官、行人奉使四方，各求遺書一部，送翰林收藏。得旨允

30 清・王國棟，《邱文莊公年譜》（《北京圖書館藏珍本年譜叢刊》39，北京：北京圖書館出版社，1999年4月初版，據清光緒24年刻本影印），頁46下-47下。

31 明・焦竑，《澹園集》（北京：中華書局，1999年5月第1版），卷5，〈修史條陳四事議〉，頁30-31。

行。」[32]他希望透過這樣的方式，來添補中央政府的藏書。此外，張位也十分注意國子監庋藏書板的狀況，除建議朝廷繼續雕刻書板外，並向皇帝報告中央現存書板的數量。據《經義考》載：

> 萬曆二年（1574），祭酒張位上疏謂：「辟雍，[33]乃圖書之府，故自昔辨譌證謬，必以祕書及監本為徵。今監有十七史，而十經注疏，久無善本。請命工部給資，鏤刻西庫見存《四書集注》板四百五十一面、《易經傳義》板五百一十三面、《詩經集注》板三百四十二面、《書經集注》板三百二面、《春秋四傳》板八百九十三面、《禮記集說》板七百一十八面；東庫見存《論語集注考證》板五十面、《天下書目》。北京國子監所藏經籍板《周易》二十三片、《周易音訓》二十五片、《書傳》二百五十六片，又《大字書傳》二十五片、《喪禮》一千二百八十三片、《論語》一百六十七片、《論語正文》一十八片、《論語集注》三十五片、《論語集義》六百二十七片、《孟子》二百片、《孟子集注》六十片、《孟子節文》五十六片、《孟子集義》數闕、《中庸》七十八片、《中庸集義》二百八十二片、《大學》四十五片、《大學集義》二百三片。」[34]

不久，日講官于慎行（1545-1608）也提醒萬曆帝重視續補南、北兩京的官府藏書，以備覽閱。奏云：

> 漢、唐、宋開國之初，皆嘗博求遺書，故其時內府之藏，盡天下之有，若史籍所志，何其富也！本朝則不及遠矣。永樂間，亦嘗遣使四購，不

---

32 清・鄂爾泰等，《詞林典故》（《景印文淵閣四庫全書》史部 599，臺北：臺灣商務印書館，1986 年 3 月初版），卷 6 下，頁 11 下。

33 辟雍，即當時國子監的舊稱。

34 清・朱彝尊，《經義考》（《景印文淵閣四庫全書》史部 680，臺北：臺灣商務印書館，1986 年 3 月初版），卷 293，頁 21 上-22 上。

知所得幾何？乃今祕閣之藏，不及士人積書之半，天祿、石渠之奧，空
虛等此，亦大缺典也。南昌張直閣位在翰苑，嘗上書請令史官、行人奉
使四方，各求遺書一部，送國學、翰林收藏，業已允行，而久之竟無應
者，政之因恬，亦已極矣。都下所當積書者有五：其一，內府監局當儲
其全，以備御覽。其一，內閣祕書當儲其全，以備顧問。其一，翰林院
庫當儲其全，以備考訂。其一，兩京太學當儲其全，以備頒行。其一，
禮部庫房當儲其全，以備參核。五者即不能兼得，一二焉可矣。[35]

依于慎行所言，兩京官府藏書相當重要，是政府施政參稽的主要參考依據。而
當時大學士張位上書請令史官、行人奉使四方歸來，令各求遺書一部，繳送國
子監、翰林院收藏的建議，雖獲得萬曆帝的批准，卻未見落實。雖然如此，亦
可想見明代中央政府裡頭，大臣們對國家藏書事業的高度重視。

　　張位的建議雖然未成規制，然於明代的官場上，卻早已流行著印書與贈書
的風氣和習慣，甚至成為官僚集團間進行書籍社交的一種主要手段。按明代各
衙門舊制，凡「歷官任滿必刻一書，以充饋遺，此亦甚雅。」[36]且「上官多以
饋送往來，動輒印至百部，有司所費亦繁。」[37]足證明代官員對書籍的喜愛，
以及官場上的贈書社交文化。較諸饋贈珠玉寶物，贈書顯得清雅許多，且守官
箴，廣為士大夫們所接受。這種贈書的習慣與文化，一直維持到明末而未曾間
斷，且透過這樣的書籍社交行為，竟然也成為官員們私人藏書的一項主要來源。
知名的金華藏書家胡應麟（1551-1602），便曾經披露當時官員們的藏書之易，
一般多是來自於贈送，他說：

今宦途率以書為贄，惟上之人好焉，則諸經史類書，卷帙叢重者，不逾
時集矣！朝貴達官，多有數萬以上者，往往猥複相揉，芟之不能萬餘，

35　明・于慎行，《穀山筆塵》（《元明史料筆記叢刊》，北京：中華書局，1997 年 11 月
　　第 1 版第 2 刷），卷 7，〈典籍〉，頁 82-83。

36　《原抄本日知錄》，卷 20，〈監本二十一史〉，頁 520。

37　《菽園雜記》，卷 10，頁 129。

精綾錦標，連窗委棟，朝夕以享鼨鼠。而異書祕本，百無二三，蓋殘編
短帙，筐箱所遺，羌雁弗列。位高責宂者，又無暇綴拾之，名常有餘，
而實遠不副也。*38*

明代官場的印書與贈書風氣，恰恰表現出官員們普遍喜好圖書與藏書的特殊性
格表徵。他們往往基於自身對書籍的熱愛，不斷地提醒著帝王必須恪遵祖制，
效法太祖與成祖弘揚藏書活動的作風，尤其必須重視兩京的圖書與藏書事業，
進而推動全國的藏書文化，這對發展明代南京私家藏書風氣的鼓舞，絕對是一
股相當重要的動力。

四、南京在明代官場上的特殊意義

南京既為六朝古都，本來就具備特殊的歷史背景和政治地位，加上明代南
京的文化和經濟比較發達，於是有「文物之邦」、「圖書之府」的雅稱。然而，
南京的私家藏書最早起於何時，如今卻無從考證。約略是到了六朝時期，因南
京的門第世族崇尚文雅，私家藏書風氣初見端倪。如南朝梁武帝提倡藝文，沈
約（441-513）於國都建康（南京）的私人藏書高達兩萬卷。五代時，江南李唐
藏書為天下之冠，金陵徐鍇（920-974）家藏獨居其首。南京私家藏書風氣，綿
延千載，至清而極盛。*39*而官僚集團和縉紳士大夫，則是明代南京社會風氣的
始作俑者，當時社會風氣的主流是從上而下的。至於工商業的發展和商品經濟
的繁榮，則是社會風氣形成的物質基礎。*40*

然而，南京作為大明王朝的陪都，雖有著和北京一樣的一套中央政府機制，
但卻都是閒職，沒有實權。因此，明代一些在仕途上不如意的人，往往會被排

---

38 明・胡應麟，《少室山房筆叢》（《讀書劄記叢刊》2，臺北：世界書局，1980 年 5 月
　　再版），卷 4，〈甲部・經籍會通四〉，頁 54。

39 吳穎，〈南京地區圖書館發展的歷史及現狀〉，《南京體育學院學報》，1995 年第 4 期，
　　頁 48。

40 陳茂山，〈淺談明代中後期南京社會風氣的轉變〉，《民俗研究》，1991 年第 1 期，頁
　　26。

擠到南京爲官，然這從客觀上卻促進了區域文化的繁榮，使得南京成爲天下文人的薈萃之地。**41**例如：

> 隆慶辛未（5年，1571），王好問（1517-1582）官南京太常卿。一日，登官舍之側書樓，見典籍羅列，有感而發，曰：「感遇聚散雖不可齊，然而剛大激烈，志不可奪，進而用時，退而自善，進退有餘裕也。」**42**

當其時，王好問以離京外調爲憾，官南京太常寺卿，遠離權力中心，故而憂憤朝政，見典籍而寓物興嘆，同時也是向天下人宣誓此後將埋首書堆當中，韜光養晦。正是因爲明代南京官場的特殊政治意味，朝官一旦左遷至此，多半心灰意冷，轉而流連藝文，至與江南的蟬林佳流、騷人墨客互通聲氣，此唱彼酬，結成許多文藝社群，進而吸引更多的文人聚集南京，共享風采。誠如明人所云：「應天于我國家，號豐芑重地，蓋首善之區，而天下士所爲睹指易趨者。」**43**

　　與王好問有著相同遭遇的文士，其實在明代經常可見。但若換一個角度來看，後世史家其實對於明代的政治評價多半不高，此乃因爲明代歷朝皆充斥著許多宦官、權臣與昏君，使得朝綱不振，內憂外患頻仍，因此認爲明朝是中國歷史上一段政治相當黑暗的時期。再加上明中後期開始，參與科舉競爭的人數大幅增加，使得許多人終生業舉卻仍賚志以歿，白髮蒼蒼而未獲一第。生在如此晦暗氛圍的明代士人，除了自嘆一己之懷才不遇外，更目睹了朝局江河日下卻無力回天，憂憤之餘，紛紛捨棄古代讀書人修身治世的志向與本業，轉而託付在培養生活癖好之上，甚至產生逃離塵世凡間，追求心中理想的「桃花源」以了此餘生。對此，歸安藏書家茅坤（1512-1601）曾經提出他的看法：

---

41 龍曉英，〈焦竑與戲曲家南京交游考〉，《金陵科技學院學報》社會科學版，2005年第3期，頁64。

42 明・王好問，《春煦軒文集・詩集》（臺北：中央研究院藏清同治6年刊本），卷2，頁6下。

43 明・江盈科，《江盈科集》（長沙：岳麓書社，1997年4月初版），卷7，〈應天府重修書院記〉，頁373。

予觀嵇康（224-263）癖於鍛，淵明（約365-427）癖於酒，楊雄（前53-18）
癖於著書。古之人，嘗稱其有所托而逃；以予觀之，非逃也，彼皆有所
以自悅乎其中，而於世之馳鶩戰鬥、浮湛突梯、悲喜愉佚，彼皆厭視之，
《傳》所謂矙然泥而不滓故也。[44]

茅坤對當時士人避世養癖的風氣論述的十分精闢，反映出多數明代失意士人的
心聲，即透過效法古人的高雅志節，以發泄心中抑鬱不平之志，而此風卻也間
接地鼓動了明代文人生活型態的發展，他們開始講究種花時藝、習靜參禪、收
藏古董、焚香沏茶、飲宴戲曲、藏書刻書、舟遊競渡、文會結社、居室布置……
等多樣形態，使得明代文人生活呈現多姿多采的景象，令後世產生很多美好的
憧憬與嚮往。

　　這種避世的風氣打從明代中後期開始，便在江南的士大夫階層之間瀰漫開
來，一直延續到清初仍未稍退。明末清初，江南長洲文士汪琬（1624-1690）指
出當時的情況，說道：

吾郡故多潔修好古獨行之君子，近世如杜用嘉（瓊，1396-1474）、邢用
理（量，約1413-1491）、沈啟南（周，1427-1509）先生，降而至於趙
凡夫（宦光，1559-1625）、文彥可（從簡，1574-1645）之屬，率皆遺榮
弗仕。或以詩文，或以字畫，或雜出醫卜，卓然有名於時，其遺風餘韻，
至今猶傳述鄉士大夫之口。自有明既亡，吳中好事者亦皆棄去巾服，以隱
者自命，當其初流離患難之中，希風慕義，儼然前代之逸民遺老也。[45]

44　明・茅坤，《茅鹿門先生文集》（《續修四庫全書》集部1344，上海：上海古籍出版社，
　　2002年3月初版，據中國科學院圖書館藏明萬曆刻本影印），卷13，〈送殷白野先生序〉，
　　頁14上-下。

45　清・汪琬，《堯峰文鈔》（《四部叢刊初編》277，上海：上海書店，1989年3月版，
　　據林佶寫刊本縮印），卷15，〈金孝章墓誌銘〉，頁5。

癖嗜藏書，自古即為文人避世養癖的主要選擇，因為讀書本來就是古代士人的本業，即所謂「好書耽嗜，漸靡其沈壯之氣，幾幾有鴟夷、子皮、陶士行之風焉。」[46]自古文人多半嗜好典籍，習慣於利用藏書活動來作為隱居生活的主要內容。因此，藏書界沾染隱逸風尚，可視為明代隱逸士人一種高雅的主流價值觀。除時代背景外，藏書家本身的一些因素，包括科場失意、宦途多舛、家庭因素、積極嚮往與逃避世亂，都是促成隱逸風氣盛行的主要推力。明代江南私人藏書事業之所以如此發達，也正是因為隱逸觀念的普及與盛行，使得藏書家們具備充份的閒情雅致，發展個人的藏書事業。[47]由於明代南京的士人們在官場的失意，政務的冗閒，使得他們更有時間來發展自己的藏書事業，甚至引領當地學界的風潮，幫助拓展明代南京的私人藏書事業。

　　總之，在國家連年烽火，民不聊生的情況下，藏書事業必遭破壞而損失慘重。相反地，民族興盛，國家統一，政局穩定，經濟發達，文化教育繁榮，人民生活安定，藏書事業也必定隨之發達興盛。[48]南京為明朝陪都，治安向稱清寧，非但邊警不侵，憑藉優越的地理位置和常備的武力亦足以禦倭和禁治盜匪，長期以來，一直是江南地區重要的圖書消費市場。加上特殊的官場地位，引發士人們崇尚講藝論文、藏書刻書等活動。此外，藏書事業的興衰，與統治者的政策有著極大的關係。明代中央政府採取發展社會經濟、大興教育和科舉、保護圖書生產與流通等一系列有利於私人藏書事業發展的政策和措施，為當時的私人藏書營造出良好的社會環境，進而推動了明代私人藏書事業的繁榮與興盛。[49]

46 清・李桓，《國朝耆獻類徵初編》（《清代傳記叢刊》189，臺北：明文書局，1985 年 5 月初版），卷 473，〈隱逸十三・顧韠〉，頁 45 上。

47 陳冠至，〈明代江南藏書家崇尚隱逸的動因〉，《白沙歷史地理學報》，第 6 期，2008 年 10 月，頁 117。

48 黃曉霞，〈私家藏書文化論〉，《大同職業技術學院學報》，2000 年第 4 期，頁 35。

49 周飛越，〈明代藏書事業繁榮的政治因素探究〉，《新世紀圖書館》，2010 年第 3 期，頁 99。

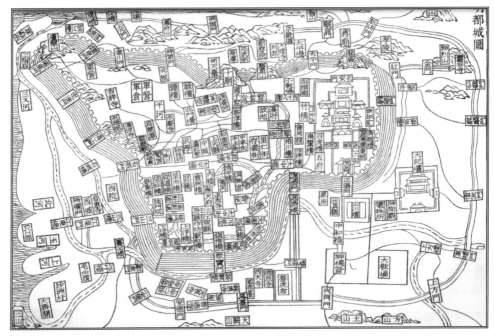

圖二：《明都城圖》。**50**

第二節　明代南京書籍市場的勃興

一、城市、交通與商品經濟的高度發展

　　明人張瀚（1513-1595）曰：「沿大江而下，爲金陵，乃聖祖開基之地。北跨中原，瓜連數省，五方輻輳，萬國灌輸。三服之官，內給尙方，衣履天下，南北商賈爭赴。自金陵而下控故吳之墟，東引松、常，中爲姑蘇。其民利魚稻之饒，極人工之巧，服飾器具，足以炫人心目，而志于富侈者爭趨效之。」**51**明

50　圖片轉引自：《金陵古今圖考》，頁 89。

51　明・張瀚，《松窗夢語》（《元明史料筆記叢刊》，北京：中華書局，1997 年 11 月第 1
　　版第 2 刷），卷 4，〈商賈紀〉，頁 83。

代江南的城市與集鎮的種種繁榮氣象，顯示出當時江南的社會文明已經達到一個新的高點，這是工、農業生產和商品經濟迅速發展帶來的碩果。[52]

此外，發達的交通網絡爲振興工商業的主要後盾，產生絕對性的助益作用。南京憑藉優越的地理位置，爲明代江南水陸交通的第一樞紐。根據明刊《天下水陸路程》的記載，明朝以南京爲中心的水陸路線，可以通往全國各地：南京由東平州至北京，南京至北京陸路有三，此其一；南京至河南、山西二省路；南京至陝西、四川二省路；南京至江西、廣東二省路；南京由淮邸至山東濟南路；南京由淮安、登、萊三府至遼東水陸；南京至湖廣、雲、貴三省東路；南京至貴州、雲南西路；南京至廣西桂林水路；南京至浙江、福建二省水路；南京至山海關，一路經北京至山海關，一路經淮安至山海關。[53]由上可見，明代南京水陸網絡的四通八達，堪稱全國首屈一指的交通中心城市。

明末旅居中國，足跡遍及南北諸省的葡萄牙傳教士曾德昭（Alvaro Semedo，1585-1658）說道：

> 南京，位於緯度 32 度，是中國最好的省份之一，也是全國的精華。……各種產品都很稀罕，超過其他地方的產品，如有人想把自己的貨物賣個好價，就假稱它產自南京，這樣可用高價售出。……朝廷曾長駐該省，甚至今天，南京城內仍保留朝廷官員和特權，它的正式名字是應天府，我認為它是全國最大最好的城市，優良的建築，寬大的街道，風度優雅的百姓，及豐富優良的種種物品。……城牆有 12 道門，……內牆 18 英里。兩牆之間有很多住戶、園林及開耕的農田，收獲可供大約四萬城內戍軍的糧食。……河水輕觸城腳，有幾條支流入城內。河名叫洋子江，

---

[52] 夏咸淳，《晚明士風與文學》（北京：中國社會科學出版社，1994 年 7 月初版），頁 13。

[53] 張顯清，《明代後期社會轉型研究》（北京：中國社會科學出版社，2008 年 11 月第 1版），頁 221。

　　意思是海洋之子；它不負虛名，在世界上已知河流中它的水量最充足，
　　而且有大量的魚。[54]

按照曾德昭的描述，明末南京城已是集全國政治、經濟、文化與交通四大中心
的超級城市，高度發達的商品經濟，多數的市民以及往來的商旅都具備高水準
的文化素養和財力，加上政策的鼓勵和四通八達的聯外網絡，對於當時圖書事
業的發展與流通，確實提供絕佳的背景條件。

　　明代金陵先為京師，後為留都，到晚明已是全國最發達的商業和文化中心。
明代金陵的書坊總量約在 150 家左右，其中有不少是建陽、徽州等外地書坊在
此開辦的分鋪。明代金陵坊刻包含戲曲、小說、醫書、科舉時文、傳統經典，
以及叢書、類書等，而當中號全國之最者，一是戲曲，二是版畫，前者數量與
質量均稱獨步，後者「巧心妙手，超越前代」。[55]除了明初政府的政策以外，
利於書寫、攜帶和保存的紙張的廣泛使用，以及文學藝術活動的繁榮，尤其是
雕版印刷術的發明，都極大地促進了私家藏書事業的發展。[56]總之，要成為藏
書家，必須具備三大條件，即文化、財力和興趣。[57]而明代南京為全國數一數
二的經濟大城，富商巨賈、藝文巨擘，風雲際會，畢集於此，十分有利於開展
地區的私人藏書風氣與文化。

二、南京刻書業的繁榮

　　中國古代刻書業發展到了明代，在地域分佈上已然遍及全國，東起閩、浙，
西至秦、楚，南至閩、粵，北至燕、齊。除了唐、宋以來刻書行業較為發達的

54　葡·曾德昭，《大中國志》（上海：上海古籍出版社，1998 年 12 月第 1 版），第 1 部
　　第 2 章，〈諸省詳述·先談南方的省份〉，頁 16-17。

55　郭孟良，《晚明商業出版》（北京：中國書籍出版社，2011 年 1 月第 1 版），頁 145。

56　《圖書收藏及鑒賞》，頁 179。

57　趙長林，〈中國藏書家階層流變史〉，《圖書與情報》，2000 年第 1 期，頁 73。

四川、杭州等地區逐漸式微外，明代刻書業較爲興盛的地區，大多集中在長江以南。[58]明中葉松江縣藏書家陸深（1477-1544）指出：

> 石林（葉夢得，1077-1148）時，印書以杭州爲上，蜀本次之，福建最下。京師（南京）比歲印板殆不減杭州，但紙不佳。蜀與福建多以柔木刻之，取其易成而速售，故不能工。福建本幾遍天下，然則建本之濫惡，蓋自宋以然矣！今杭絕無刻，國初蜀尚有板，差勝建刻。今建益下，去永樂、宣德間又不逮矣！唯近日蘇州工匠，稍追古作可觀。[59]

若以書籍的生產而論，明代江南地區的出版業（含刻書與印書），其分佈地域很廣，刻印的數量很多，刻印的種類也很繁雜。到了明末，蘇州、南京、無錫、常熟、杭州、湖州等地，都是江南刻書與印書的中心。[60]胡應麟說：「余所見當今刻本，蘇、常爲上，金陵次之，杭又次之。近湖刻、歙刻驟精，遂與蘇、常爭價。蜀本行世甚寡，閩本最下。」[61]據今人研究統計指出，明代全國各類型的刻書機構，包括官府、官私合辦、書院、寺廟、私人……等刻書，以南直隸之南京、江蘇、安徽爲最多，約 2,010 家。若僅以書坊刻書來看，亦以南直隸上述地區爲最多，共 385 家，而實際數量可能還超過以上數字。[62]

　　而目前學界一般也多認爲，江蘇是明代私家藏書的中心，私人藏書事業特別發達，藏書家數量爲全國第一。明代的私人藏書主要分佈於江浙一帶，造成這種情形的主要原因有三：一是江浙地區文化繁榮，科舉發達，名宦輩出，致使社會上的讀書、著書與藏書風氣，皆較他處濃厚。二是明代的經濟重心已逐漸南移，南方地區的江浙一帶經濟繁榮，百姓富足，使得藏書家們有足夠的經

58　《明代書籍出版研究》，頁 69-70。

59　《儼山外集》，卷 8，〈金臺紀聞下〉，頁 5 下-6 上。

60　范金民，《明清江南商業的發展》（南京：南京大學出版社，1998 年 8 月初版），頁 41。

61　《少室山房筆叢》，卷 4，〈甲部‧經籍會通四〉，頁 59。

62　劉天振，《明清江南城市商業出版與文化傳播》（北京：中國社會科學出版社，2011 年 5 月第 1 版），頁 31-32。

濟能力用於藏書。三是江浙一帶的刻書業非常發達，出版活動十分旺盛，[63]當時的南京、杭州、蘇州、常州等城市，都是刻書業聚集之地。[64]

　　南京素稱文物之邦，明代官府刻書的機構約有 70 餘處。在官營刻書業的影響之下，私人經營的書坊亦隨之蓬勃發展。據考證，明代南京私人經營的書坊約有 50 餘家，這些書坊綜合選編、出版、發行爲一體，所刻書籍的數量大、形式多、內容廣，從儒家經典、筆記小說、科學用書，一直到戲曲雜劇、醫學、譜錄、童蒙讀物等，不一而足。明代南京刻書業的發展，曾經爲保存和傳播中國古代文化，作出了很大的貢獻。[65]身爲歷史文化名城，南京自古以來即是人文薈萃之地。而在出版方面，早在宋代，這裡的官府便已用版刻的方法印刷書籍。元代的南京集慶路，也曾經雕印出版大量的經、史、子、集、圖志諸書，[66]爲明代南京的刻書業，奠定良好的基礎。

　　由於太祖對學校的重視，明代教育事業得以自明初即迅速的播展開來，讀書人因而增多，對書籍的需求亦隨之大增，便直接促進了出版業的活躍。加上太祖也推崇科舉取士，於是在功名利祿的誘惑之下，整個社會形成了一股濃厚的苦讀重教風氣，士庶們莫不全力爭取舉業科名，成爲明代社會教育與家庭教育的主流導向和目標，而私人藏書事業也跟著成爲一種社會時尚。[67]

　　明朝初年，南京國子監即已匯集了杭州和江南其他地區的宋元板片，並取代杭州成爲全國的出版中心。我國最大的一套類書《永樂大典》，就是在南京國子監編抄成書的。[68]然而，在湖州開始使用套印技術從事刻印書籍的時候，南京的刻書家還很少運用套印技術從事印刷。但套版印刷術在湖州崛起後不久，伴隨著湖州、安徽歙縣的刻工與出版家的移入南京，套印技術亦隨之傳到

63　康芬，〈明代私家藏書特點試析〉，頁 64。

64　牛紅亮、張小玲，〈略論明代的私家藏書〉，《當代圖書館》，2009 年第 1 期，頁 34-35。

65　郭黎安，〈從《儒林外史》看明清南京的城市風貌〉，《大同高專學報》，1997 年第 3 期，頁 16。

66　葉建萍，〈歷史上的南京書籍業〉，《檔案與建設》，2005 年第 6 期，頁 42。

67　周飛越，〈明代藏書事業繁榮的政治因素探究〉，頁 100。

68　葉建萍，〈歷史上的南京書籍業〉，頁 42。

了南京。[69]萬曆以後，南京已取代湖州成爲彩色套印和版畫的出版中心。福建長樂縣知名藏書家謝肇淛（1567-1624）亦曾評曰：

> 宋時刻本以杭州爲上，蜀本次之，福建最下。今杭刻不足稱矣，金陵、新安、吳興三地，剞劂之精者不下宋板，楚、蜀之刻皆尋常耳。閩建陽有書坊，出書最多，而板紙俱最濫惡，蓋徒爲射利計，非以傳世也。大凡書刻，急於射利者必不能精，蓋不能捐重價故耳。[70]

這時，江南一帶的出版業乃以南京爲代表，[71]就連遠在廣西刊刻的《桂林志》，也來南京印刷，甚至連佛教匯編性質的鉅著《南藏》，當時也在南京出版。一些官用書和南監本史書，以及其他書籍的翻刻工作，很多都在南京進行。私人的刻書坊在南京也有不少，許多藏書家與書畫篆刻家在南京兼營出版事業，先後印製了不少醫書、小說、戲曲和其他種類的書籍。[72]

除了戲曲以外，南京的書坊主人還喜歡刻印《西晉志傳》、《三國志傳》和《西遊記》等這一類的小說演義，以及《針灸大成》、《胎產須知》和《萬氏家鈔濟世良方》一類的醫書，和一些爲科舉考生所需要的八股範文之類的讀物。當然，也有許多書商刊刻一些具有文化學術價值的圖書。至於上元、江寧兩縣，所刻「時義」一類的八股文，數量也很大。而銅活字印書也開始出現，如「建業張氏銅板印行」的《開元天寶遺事》二卷。[73]

的確，明代南京書坊的興起，首先與明初以來南京書籍刊刻業的發達有關。自太祖建都南京後，南京便成爲全國的政治、經濟、文化等中心。太祖力行偃

69　徐永斌、張瑩，〈凌濛初與晚明刻書業〉，《明清小說研究》，2008 年第 3 期，頁 224。

70　明・謝肇淛，《五雜俎》（上海：上海書店出版社，2001 年 8 月初版），卷 13，〈事部一〉，頁 266。

71　于爲剛，〈胡文煥與《格致叢書》〉，《圖書館雜志》，1982 年第 4 期，頁 63。

72　王達弗，〈胡正言和他的「三譜」——印譜、畫譜、箋譜〉，《東南文化》，1993 年第 6 期，頁 155。

73　徐雁、譚華軍，〈概論宋明時期的南京書文化史〉，《江蘇圖書館學報》，1997 年第 5 期，頁 51。

武修文政策，一方面下令把南方各地宋元以來的書板全部運到南京國子監，另一方面又調集、招募各地的刻工印匠，來南京刻印《元史》、《元秘史》、《大明律》、《明大誥》等要籍。明成祖遷都北京後，仍保留了南京國子監，並繼續刻印書籍，所刻印的書籍稱做「南監本」。明初以來南京書籍刊刻業的發達，吸引和促使浙江、安徽、福建等地的刻工前來南京參與刻書，為明代中葉南京書坊的興起提供了技術支援。到了明代中葉，隨著城市經濟的繁榮， 商品經濟的發展，書籍刊刻業也成為商品經濟的一個部份，湧現了許多以營利為目標的書坊。[74]

萬曆年間，一些外地書坊，復因考量當時刻工名手皆畢集於金陵，於是紛紛在南京設立刻書分處，再度為南京刻書事業的活絡，提供優質而可靠的技術條件。例如杭州的「文會堂」，在南京設「思蓴館」進行刻書，卻仍然沿用「杭州文會堂」的名稱作為商標。[75]這些外地書坊當中，以徽州人在南京經營刻書事業的情況最為興盛。由於徽州附近的明宗室寧藩，自明初以來就出現不少以雅好藏書馳名者，他們大力提倡圖書事業，極大地促進了徽州地區私人藏書與刻書業的發展。除了徽人本身的地域文化因素外，明代中葉以後南京地方刻書業的發達，也是吸引外地書坊前來南京設立分店的一個主要原因。作為明王朝的留都，南京國子監保存了江南各地自宋元以來的各種木刻書板數十萬塊，南京國子監曾據此印刷了大量的精美圖書。此外，明代南京的私人書坊刻書種類之多，也馳名於各地的書坊。南京刻書業不僅雕印了大量的醫書、經書、文集，以及各種尺牘、圖譜等，還刊刻了許多戲曲、小說，數量多達二、三百種，為當時各地之冠。[76]

隨著南京居於全國的政治、文化與經濟中心地位的確立，中國古代書籍雕版活動的發展到了明代，開始進入輝煌燦爛的時期。南京自明初伊始，就因得到技術、財力和市場之便，以致終明之世，南京刻書的數量之大、種類之多，

74　俞為民，〈明代南京書坊刊刻戲曲考述〉，《藝術百家》，1997 年第 4 期，頁 44。

75　杜信孚，〈明清及民國時期江蘇刻書概述〉，《江蘇圖書館學報》，1994 年第 1 期，頁 55。

76　吳萍莉，〈晚明南京的徽籍刻書家〉，《晉圖學刊》，2001 年第 4 期，頁 65-66。

亦遠非前代可以比擬。[77]此外，隨著商業經濟的發展與社會條件的形成，刊刻行業的聚集現象在明初即已開始出現，並逐步趨向成熟，使得南京和蘇州的書市躍身成爲當時全國最大的兩個圖書集散地。同時，明代的書坊往往兼具刊印與銷售兩大功能，既是印書的刻坊，也是運銷的書肆。南京因其顯著的區位優勢，其刻書業的聚集規模終成全國之首。明代的三山街一帶，曾經容納了數十家聲名遠播的私營刻書坊，成爲明代南京書坊的主要熱區。今人研究指出，明代南京書坊的數量，約有 93 家，其中私人書坊就多達 57 家，數量與規模之大，爲當時其他地區的刻書中心所罕見。其中以「富春堂」、「世德堂」、「文秀堂」、「文林閣」、「集賢堂」、「興賢堂」、「廣慶堂」、「繼志齋」、「長春堂」、「鳳毛館」、「兩衡堂」、「烏衣巷」、「德聚堂」、「二酉堂」等最爲知名。此外，太學前的夫子廟地區，即泮宮內外和狀元境、貢院西街一帶（請見前圖二），明朝也曾先後出現過名沸一時的「文林山房」、「天祿閣」、「鴻雪山房」、「瀛州書館」、「同文山房」等 30 餘家書肆，經營諸子百家、四書五經、方志史乘、詩賦詞集、曆書時藝等類圖書的刻印與販售。綜言之，明代南京的官刻、家刻與私刻書坊，其中三分之二歸於三山街一帶，而私刻書坊的數量則占總數的一半多。當年這裡刊刻書籍有不少都冠以「三山書坊」、「三山街書坊」等泛稱，這正足以道盡明代三山街私人刻書坊的商業集群性特徵，在當時的南京乃至全國的刻書業當中，所佔有的重要地位。三山街刻書坊形成了同時期的其他聚書地少有的規模，對內既競爭又合作，對外以商標集聚方式形成當時少有的規模效應，睥睨明代其他地區的刻書業者。[78]

---

77 徐雁、譚華軍，〈概論宋明時期的南京書文化史〉，頁 50。

78 陳堂發，〈略論明代三山街私刻書坊的大眾文化經營〉，《出版科學》，2010 年第 1 期，頁 5-7。

圖三：明・佚名，《南都繁會景物圖卷》（局部）內之南京刻書業。[79]

　　除了私人經營的書坊外，明代南京還許多喜好刻書的文人學者，他們並非專業書坊的經營者，卻僅僅憑藉私人的財力，出版一些書籍，為保存古代圖書文獻、推展明代南京的圖書事業，奉獻心力。例如明末旅次南京的知名文士吳應箕（1594-1645）指出：

　　　　「小有園」在石橋者，故某令所為也。余親見主人鑿池種梅，梅開甚盛。……且聞此令生平好刻書，書板盈屋。[80]

類似這樣的明代出版品當中，有些甚至到了今天，都還十分膾炙人口，非常珍貴。例如明末南京出版家胡承龍，讀了《本草綱目》的稿本，認識到這本書對

79　圖片轉引自：董清，〈南都繁會圖〉，《華夏地理》，2007 年第 5 期，頁 43。

80　明・吳應箕，《留都見聞錄》（《南京稀見文獻叢刊》，南京：南京出版社，2009 年 4 月第 1 版），上卷，〈園亭〉，頁 17。

醫藥界具有很高的價值，於是出錢交付書商印製發行。終於在萬曆 24 年（1596），著名的明代醫藥學家李時珍（1518-1593）的《本草綱目》在南京首次問世，此即《本草綱目》最早的刻本－金陵版，胡承龍和南京的無名印刷工人，確實功不可沒。[81]

　　明代江南許多著名藏書家往往也是知名的刻書家。他們不僅專事搜求聚書，更樂於將自己搜羅到的珍本秘笈刊刻於世，化身億萬。由於明代刻書的成本不高，使得當時很多文人學士都有能力為自己欣賞的書開版印刷，流通於世。《書林清話》記載明代刻書工價甚廉，云：

> 書皆可私刻，刻工極廉。……刻一部古注十三經，費僅百餘金，故刻稿者紛紛矣！……明嘉靖甲寅（33 年，1554）閩沙謝鸞識嶺南張泰（？-1509）刻《豫章羅先生文集》，目錄後有刻板捌拾參片、上下二帙、壹伯陸拾壹葉，繡梓工貲貳拾肆兩，木記以一版兩葉平均計算，每葉合工貲壹錢伍分有奇，其價廉甚。至崇禎末年，江南刻工尚如此，……毛氏廣招刻工，以十三經、十七史為主，其時銀串每兩不及七百文，三分銀刻一百字，則每百字僅二十文矣！[82]

一般而言，他們刻書的方法約有兩種：一是直接刊印或翻刻當時文人學士的著作；一是對既有文獻進行編輯校整，然後雕板發行。[83]例如明末南京兩大知名的藏書家焦竑（1541-1620）與黃虞稷（1629-1691），便同時也兼營刻書事業。南京文人陳作霖（1837-1920）說：

> 金陵，圖書之府也。明時有南監板，較北監為精工。厥後豆巷，即焦狀元巷，焦殿撰竑家「五車樓」；馬路街，黃檢討虞稷家「千頃堂」，梁

---

[81] 葉貽國，〈《本草綱目》結緣南京〉，《紫金歲月》，1997 年第 6 期，頁 47。

[82] 清・葉德輝，《書林清話》（臺北：文史哲出版社，1973 年 12 月初版），卷 7，〈明時刻書工價之廉〉，頁 14 上-下。

[83] 《明清江南城市商業出版與文化傳播》，頁 9-12。

書與毛氏「汲古閣」等。[84]

可見焦氏與黃氏刻書，竟與當時以刻書馳名天下的蘇州「汲古閣」齊名，可見兩家刻書事業之興盛。此外，影響刻書事業的繁興，還有一個重要的因素，就是需要許多勤於著述的創作者，不斷地為廣大的讀者提供更多的閱讀選擇，當然也是刻書的主要來源之一。而「金陵明季，尤多著述之士。」[85]明代南京人文薈萃，文人墨客風湧雲集，不乏創作者，可為本地書籍的印製，提供連綿不斷的來源。

圖四：焦竑「五車樓」遺址，已於 1994 年春因城市建設被拆毀。[86]

---

84 清‧陳作霖，《金陵物產風土志》（《中國方志叢書》華中 39，臺北：成文出版社有限公司，1970 年臺 1 版，據清光緒 26 年刊本影印），〈本境用物品考〉，頁 310。

85 清‧陳作霖，《明代金陵人物志》（《明代傳記叢刊》150，臺北：明文書局，1991 年 10 月初版），不分卷，〈李詩〉，頁 397。

86 圖片轉引自：雁文，〈南京焦氏五車樓〉，《出版史料》，2002 年第 4 期，頁 1。

7.張翊（1485-1511）

　　字惟忠，上元縣人，張晟子。張晟思大其家，乃多購書藏之，張翊得以縱情覽閱，且守護惟謹。「初試大禮評事，即日取獄囚勘詳輕重。其學淹貫，歷代史事及明初朝章國故，旁涉天文地理、星卜草木之書。正德六年（1511）夏，⋯⋯一日往別墅，有自城中來者，曰某坊火，翊曰：『吾里也，恐燬吾書。』急馳歸，馬羸多蹶，遂得疾，果以秋卒，年二十七，墓在建業鄉張家山。」**19**

8.史學（1454-1513）

　　字文鑑，溧陽縣人。成化 23 年（1487）進士，授戶部主事，仕至山東左參政。「資稟和平溫粹，樂善好賢，不言人過。勤於問學，本朝諸名家文集，訪抄無遺，下至公文吏牘，囚簿樂錄，有關世道，無不採摭，當代故實，問無不知。」**20**著有《埭溪集》、《金淵節孝錄》、《溧陽人物記》。

9.史忠（1438-1519）

　　字端本，一字廷直，上元縣人。「豪俠不羈，薄權貴，有不合輒引去，或徑以言折之，不顧。遇所善，則流連忘懷，無貴賤皆與歡洽。自號痴翁，作『臥痴樓』于治城之麓，列圖史敦彝，位置雅潔。」**21**「晚無嗣」，**22**「又好施。晚年家用乏絕，有妻弟婦攜四男二女來依，欣然養之，凡素所愛書畫器物，悉鬻以供朝夕。年八十餘尚健，預出一生殯，身雜親友中，送出南門，其曠達如此。後自知死期，無疾而逝。」**23**

19　《金陵通傳》，卷 16，〈張翊〉，頁 446。

20　明・王鴻儒，《文莊凝齋集》（臺北：國家圖書館藏明嘉靖 12 年廬州刊本），卷 5，〈大明前山東左參政史公墓誌銘〉，頁 17 下。

21　清・陳栻等，《上元縣志》（《稀見中國地方志彙刊》11，北京：中國書店，1992 年 12 月第 1 版，據清康熙年間刻本影印），卷 20，〈史忠〉，頁 33 上-下。

22　清・朱彝尊，《靜志居詩話》（《明代傳記叢刊》8，臺北：明文書局，1991 年 10 月初版），卷 9，〈史忠〉，頁 743。

23　《金陵通傳》，卷 14，〈史忠〉，頁 407。

第三節　嘉靖至萬曆時期（1522-1620）

　　到了嘉、萬年間，明祚已歷約略二百歲餘。此時天災人禍、內憂外患頻仍不斷，帝國朝局顯得暮氣沉沉，老化腐朽的態勢已日趨嚴重。雖然朝政腐敗，此時江南文壇上的第二次文學復古運動，卻正如火如荼的展開，且逐漸步入高潮。於是南京在承襲前期的私人藏書風氣興起，以及文人復古主張的持續影響之下，藏書家數量反而呈現大幅度地增加，同時也出現了許多遠近馳名的大藏書家。

1.梅純（生卒年不詳）

　　字一之，別號損齋，江寧縣人。為「汝南侯之後，駙馬都尉曾孫也。幼穎拔，以儒士領成化丁酉（13年，1477）鄉薦，辛丑（17年，1481）登進士，授懷遠縣。清介自守，與當道不合，遂上章乞歸，補蔭孝陵衛指揮使。正德初，陞中都留守；未三載，以母老乞致政。生平嗜學不厭，見奇書，嘗解衣購之。」[24]「狷介無與，雖一餐，必擇其人與其致禮然後食。篤信程朱氏，不好文章家言。所藏書，皆手自抄校，時崔公銑（1478-1541）為封部郎，閔其勞，送一掾吏代之，不受。」[25]詩文博雅可傳，著有《損齋集》。

2.許榮（生卒年不詳）

　　字怡筠，號攝泉居士，上元縣人。「其先由侯官徙實京師，遂為上元人。榮儒衣高冠，多蓄古書，鏤板緗帙，定為市價。四方文學之士，入肆相取而莫之貴賤焉；遇寒士，輒贈以書不求直。精本草醫藥，有求診者與之藥輒效，報以金即不與。又工卜筮，太保周經（1440-1510）嘗求占，榮曰善，果終善。」[26]

24　《江寧縣志》，卷10，〈梅純〉，頁89下。

25　《西園聞見錄》，卷12，〈梅純〉，頁27上。

26　《金陵通傳》，卷14，〈許榮〉，頁393。

3.顧紋（生卒年不詳）

　　號愚逸，上元縣人。「故家於金陵者，藏書千卷，治田二百畝。年甫六十，拜仲子璘吏部主事之封，褒衣博帶，出與士大夫遊。退則教其子若姪耕且讀，優游容與，飫金陵之盛，頹然以老焉。」[27]

4.徐霖（1462-1538）

　　字子仁，號髯仙，別號九峰，又號快園叟，上元縣籍。「故松江三泖人，國朝以赤籍入南京。幼為博士弟子員。」[28]篤好藏書，時人謂：「公家多藏書，海內志書尤夥。」[29]清人朱緒增亦贊云：「明時金陵收藏家：顧璘東橋、徐霖髯仙、黃琳蘊真、羅鳳印岡、謝少南與槐，並著於時。後多散佚。」[30]徐霖「嘗築『快園』于城東，其中臺榭亭池，雅有幽致，而其花異卉，不絕四時，公日惟枕流臥石，飲酒賦詩，逍遙行樂」，[31]窮盡園林之趣。「康陵（明武宗）南巡，兩幸其居，有『晚靜閣』、『宸幸堂』、『浴龍池』。及扈蹕入都，每夜宿御榻前，與帝同臥起。永陵（明世宗）之初，威武近幸多逮治坐罪，惟子仁脫，然亦滑稽之雄也。」[32]

27　明・儲巏，《柴墟文集》（《四庫全書存目叢書》集部28，臺南：莊嚴文化事業有限公司，1997年6月初版，據山東大學圖書館藏明嘉靖4年刻本影印），卷8，〈賀愚逸顧處士六表貤封序〉，頁1下。

28　明・王兆雲，《皇明詞林人物考》（《明代傳記叢刊》17，臺北：明文書局，1991年10月初版），卷11，頁591。

29　明・顧起元，《客座贅語》（《元明史料筆記叢刊》，北京：中華書局，1997年11月第1版第2刷），卷6，〈衡山贈髯仙句〉，頁205。

30　清・朱緒曾，《開有益齋讀書志》（《書目三編》8，臺北：廣文書局，1969年2月初版），卷3，〈元牘記〉，頁179-180。

31　明・何三畏，《雲間志略》（《明代傳記叢刊》146，臺北：明文書局，1991年10月初版），卷10，〈徐髯仙子仁先生傳〉，頁69。

32　《靜志居詩話》，卷11，頁114。

5.羅鳳（1465-？）

　　字子文，一字汝文，自號印岡、簡翁，本爲江西吉安府泰和縣人，附南京水軍右衛籍，位在上元縣境內。登弘治 9 年（1496）進士，除興化推官，仕終石阡知府。「博雅好古，蓄法書名畫、金石遺刻，多至千卷。所居在南京天印山下。」[33]「凡三綰郡符，皆有惠政及民，而不合上官。乞休歸，開『延休堂』以接賓，建『芳瀾閣』以儲書，所藏法帖名畫、金石遺刻數千種。夙工詩，晚年尤勁手書。」[34]著有《延休堂漫錄》、《簡齋家藏集》。顧起元曰：「南都前輩多藏書之富者，司馬侍御泰、羅太守鳳、胡太史汝嘉，尤號充棟。其後人不能守，遂多散軼」，[35]「惟印岡太守傳至其元孫熹，字原溥。」[36]

6.顧璘（1476-1545）

　　字華玉，號東橋，上元縣人。「先世吳縣人，徙南京，宏治丙辰（9 年）進士」，[37]授廣平知縣，累官至南京刑部尙書。與長洲藏書家文徵明（1470-1559）善，「少負才雋，以文學聞於時。」[38]朱緒曾贊云：「明時金陵收藏家：顧璘東橋、徐霖髯仙、黃琳蘊眞、羅鳳印岡、謝少南與槐，並著於時，後多散佚。」而《千頃堂書目》中，亦載顧璘編有《顧尙書書目》6 卷。[39]

33　清・陳田，《明詩紀事》（《明代傳記叢刊》13，臺北：明文書局，1991 年 10 月初版），卷 7，〈羅鳳〉，頁 673。

34　《金陵通傳》，卷 16，〈羅鳳〉，頁 472。

35　《客座贅語》，卷 8，〈藏書〉，頁 253。

36　《開有益齋讀書志》，卷 3，〈元牘記〉，頁 180。

37　《靜志居詩話》，卷 10，頁 25。

38　明・文徵明，《甫田集》（《景印文淵閣四庫全書》1273，臺北：臺灣商務印書館，1986 年 3 月初版），卷 16，〈送開封守顧君左遷全州敍〉，頁 12-13。

39　清・黃虞稷，《千頃堂書目》（上海：上海古籍出版社，2001 年 7 月第 1 版），卷 10，〈簿錄類〉，頁 295。

7.黃琳（生卒年不詳）

　　字美之，一字蘊眞，南京錦衣衛籍（在上元縣），爲「錦衣衛指揮內監賜從子也。家多藏書，長於藝文。」[40]「官本衛指揮。性豪邁，工詩，喜藏書畫。」[41]「家有『富文堂』，收藏書畫、古玩，冠於東南。」[42]朱緒增贊云：「明時金陵收藏家：顧璘東橋、徐霖髯仙、黃琳蘊眞、羅鳳印岡、謝少南與槐，並著於時。後多散佚。」

8.王暐（生卒年不詳）

　　字克明，別號克齋，句容縣人。其先本太原人，隨宋室南渡，遂家句容。家甚貧，暐獨念諸弟稚，無可擔負者，乃釋書冊，代父什一以給。暇則手持一編，誦讀不置。而每試輒冠，中正德 12 年（1517）進士，授吉安推官，累陞戶部尚書，總督倉場等務，以兩淮解銀未覈事，罷歸。「即日單騎趨里，日灌園城南，與二三昆弟暨微時知交，詩筒酒盃，倘祥自適；或携杖東皋，課耕織、話桑麻而已。世味一切無所好，顧獨好書，購樓貯之，額曰：「藏書山房」，雖老，持一卷不廢。」[43]著有《克齋集》行於世。

9.司馬泰（生卒年不詳）

　　字魯瞻，一字西虹，晚號龍廣山人，江寧縣人。世醫，嘉靖 2 年（1523）進士，官廣東道御史，巡按湖廣，仕至濟南知府。按湖廣時，嘗爲同官所忌，致政歸。「築園名曰：『懷洛』，婚嫁遺孤內外子女十一人。藏書極富，編次《文戲彙編》一百卷、《廣說郛》八十卷、《古今彙說》六十卷、《再續百川

40　明・周暉，《二續金陵瑣事》（《南京稀見文獻叢刊》2，南京：南京出版社，2007 年 9月第 1 版），下卷，〈欣慕編〉，頁 337。

41　《金陵通傳》，卷 14，〈黃琳〉，頁 408。

42　明・周暉，《金陵瑣事》（《南京稀見文獻叢刊》2，南京：南京出版社，2007 年 9 月第 1 版），卷 3，〈收藏〉，頁 95。

43　明・過庭訓，《明分省人物考》（《明代傳記叢刊》130，臺北：明文書局，1991 年 10月初版），卷 13，〈王暐〉，頁 9 上。

學海》八十卷、《三續百川學海》三十卷。書多秘冊,有《東坡論語解》四卷,與羅太守鳳、胡參議汝嘉、焦太史澹園(焦竑),俱號充棟。」[44]時同鄉顧起元亦謂:「南都前輩多藏書之富者,司馬侍御泰、羅太守鳳、胡太史汝嘉,尤號充棟,其後人不能守,遂多散軼。司馬家書目,尤多秘牒,有東坡先生(蘇軾,1037-1101)《論語解》鈔本四卷。」[45]藏書既富,著作亦豐,有《南都英華》、《南都野紀》、《風雅會編》、《護龍河上雜言》、《蔭白堂稿》、《雜識錄》、《西虹視履百錄》、《知次錄》、《山居百詠》、《龍廣山人小令》等諸集。

10.羅煦(生卒年不詳)

字原溥,一作元溥,上元縣人,羅鳳玄孫。「由歲貢授光澤主簿,有《淵泉集》。」[46]盛時泰撰《元牘記》,中云:「吾鄉印岡太守(羅鳳)藏金石甲都城,元孫原溥許借觀之。」[47]清代南京文士朱緒曾(1796-1866)也曾論數明朝金陵的收藏家,當以顧璘、徐霖、黃琳、羅鳳、謝少南等諸家最為知名,可惜其「後多散佚,惟印岡太守傳至其元孫煦。」[48]

11.謝少南(生卒年不詳)

字應午,一字與槐,上元縣人。「嘉靖壬辰(11年,1532)進士,歷官廣西提學」,[49]終河南布政司參政。清人朱緒曾曰:「明時金陵收藏家:顧璘東

44　清‧朱緒曾編,《金陵詩徵》(臺北:中央研究院藏清光緒 18 年刊本),卷 19,〈司馬泰〉,頁 22 上。

45　《客座贅語》,卷 8,〈藏書〉,頁 253。

46　清‧聖祖,《御選宋金元明四朝詩》(《景印文淵閣四庫全書》1444,臺北:臺灣商務印書館,1986 年 3 月初版),卷 2,〈御選明詩‧姓名爵里二〉,頁 34 下。

47　《開有益齋讀書志》,卷 2,〈帝里明代人文略〉,頁 79-80。

48　《開有益齋讀書志》,卷 3,〈元牘記〉,頁 180。

49　清‧朱彝尊,《明詩綜》(《景印文淵閣四庫全書》1459,臺北:臺灣商務印書館,1986 年 3 月初版),卷 46,〈謝少南二首〉,頁 44 上。

橋、徐霖髯仙、黃琳蘊眞、羅鳳印岡、謝少南與槐，並著於時。」著有《粵臺集》。

12.盛時泰（1529-1578）

字仲交，號雲浦，上元縣人。嘉靖貢生，才氣橫溢，喜藏書，善畫水墨山水竹石，工書。時人顧起元曰：「仲交先生家多藏書，書前後副葉上必有字，或記書所從來，或記它事，往往滿幅，印鈐惟謹。後多散在人間，其家居所書者悉扯去，殊爲可惜。因見前輩趙定宇少宰（趙用賢，1535-1596）閱《舊唐書》，每一卷畢，必有硃筆字數行，或評史中所載，或閱之日所遇某人某事，一一書之。而吾師具區先生（馮夢禎，1548-1605），校刊監本諸史卷後亦然，竟以入梓。古人讀書，游泳賞味處，於此可以想見，遠勝於鬻及借人爲不孝矣。」[50]著有《蒼潤軒碑跋》、《牛首山志》、《城山堂集》。

13.黃甲（生卒年不詳）

字首卿，南京興武衛（應天府內）人。「嘉靖庚戌（29年，1550）進士」，[51]官至運判。以文章自負。清人朱緒曾曰：「維時姚汝循鳳麓、司馬泰西虹、黃甲首卿、李登如眞、朱之蕃元价、黃居中明立，俱以收藏名。」[52]著有《鳳巖集》。

14.胡汝嘉（生卒年不詳）

字懋禮，號秋宇，南京鷹揚衛（應天府內）人。嘉靖32年（1553）進士，選庶吉士，授編修，出爲山西參議。家「富收藏，書畫幾與黃美之（黃琳）埒，如：摩詰（王維，701-761）《江天霽雪卷》、宋榻《黃庭肥本》，爲墨帖之冠，均在其家。」[53]時人顧起元嘗曰：「南都前輩多藏書之富者，司馬侍御泰、羅

50　《客座贅語》，卷10，〈讀書題識〉，頁316-317。
51　《御選宋金元明四朝詩》，卷4，〈御選明詩·姓名爵里四〉，頁4上。
52　《開有益齋讀書志》，卷3，〈元牘記〉，頁179-180。
53　《明詩紀事》，卷11，〈胡汝嘉〉，頁623。

太守鳳、胡太史汝嘉，尤號充棟。」「胡氏牙籤錦軸，最為珍異，而子孫式微，彫落市肆，尤為人所惋歎。」[54]著有《蒔園集》、《沁南稿》。

15.姚汝循（1535-1597）

字叙卿，初名理，後以字行，別號鳳麓，以家近鳳皇臺故，上元縣人。其先原浙江武康籍，元末避地婺州永康。明初，徙富戶實京師，遂占籍上元縣，旋令著籍錦衣衛。至其父業賈，家業益大。汝循幼警穎，授之書，一過成誦，洞了大義。中嘉靖 35 年（1556）進士，官至大名知府，謫嘉定州知州。家故饒，而安于儉素，「蓄古法帖、名書畫甚多。」[55]清人朱緒曾曰：「維時姚汝循鳳麓、司馬泰西虹、黃甲首卿、李登如眞、朱之蕃元价、黃居中明立，俱以收藏名。」著有《屏居集》、《浪遊集》、《耕餘集》等。

16.吳自新（生卒年不詳）

字伯恒，上元縣人。幼警敏絕倫，丰儀玉立，為諸生有聲。登隆慶 2 年（1568）進士，授工部都水司主事，累陞至南京刑部侍郎，卒於官。「晚而好《易》，宦邸搆『洗心軒』，家起『萬卷樓』以藏書。尤敦孝友，里中稱其家法。好汲引名流，所推轂賢士大夫遍天下焉。」[56]

17.李登（？-1609）

字十龍，自號如眞居士，上元縣人。弱冠補弟子員，隆慶間，詔郡邑拔士雋者送國子監，南京督學選李登，遂卒業南雍。「屢試弗售，謁選，授新野

54　《客座贅語》，卷 8，〈藏書〉，頁 253。

55　明・馮夢禎，《快雪堂集》（《四庫全書存目叢書》集部 28，臺南：莊嚴文化事業有限公司，1997 年 6 月初版，據北京大學圖書館藏明萬曆 44 年黃汝亨朱之蕃等刻本影印），卷 12，〈前大名知府姚叙卿先生墓志銘〉，頁 4 下。

56　《上元縣志》，卷 15，〈吳自新〉，頁 49 下。

令。」⁵⁷嗜好文物典籍，清人朱緒曾曰：「維時姚汝循鳳麓、司馬泰西虹、黃甲首卿、李登如眞、朱之蕃元价、黃居中明立，俱以收藏名。」

18.王堯封（1543-1613）

字爾祝，號華岡，上元縣人。萬曆 11 年（1583）進士，除戶部主事，累陞南京戶部郎中，尋拜思南知府，乞休歸。「堯封性好賓客，竿尺不遺千里。自守官以至歸田，率以一日造請，一日赴客飲，一日召客。酷耆書，繙閱購買無虛日。入其庭，後堂無絲竹，密室無裙屐，自架書外，酒鎗、蔡局而已。爲文谿刻，非細味之不能句讀；士有持行卷造門者，必束帶倒屣迎之。」⁵⁸著有《學惠齋摘稿》。

19.焦竑（1540-1620）

字弱侯，號澹園，南京旗手衛籍，居住上元縣。父官本衛千戶，伉直不欺。竑登萬曆 17 年（1589）殿試第一，除修撰，「在東宮直講。故事只依經講義，竑請賜明問，睿質加益；又以圖史故事，采輯成書，繪圖演義，名曰：《養正圖解》，具疏上之。及爲同列所忌，南歸杜門，東南學者，仰若山斗。」⁵⁹「先生積書數萬卷，覽之畧遍。金陵人士輻輳之地，先生主持壇坫，如水赴壑，其以理學倡率，王弇州（王世貞，1526-1590）所不如也。泰昌元年（1620）卒，年八十一，贈諭德。崇禎末，補諡文端。」⁶⁰次子焦周，「中萬曆癸卯（31 年，1603）鄉榜」。⁶¹清初朱彝尊（1629-1709）嘗述焦竑藏書云：「若儲書之富，幾勝中簿，多手自抄撮，惜近年俱散佚矣。」⁶²《千頃堂書目》載焦竑，編有

---

57 《明分省人物考》，卷 13，〈李登〉，頁 232。

58 《金陵通傳》，卷 18，〈王堯封〉，頁 528。

59 《上元縣志》，卷 16，〈焦竑〉，頁 4 下。

60 清·黃宗羲，《明儒學案》（《明代傳記叢刊》2，臺北：明文書局，1991 年 10 月初版），卷 35，〈泰州學案四·文端焦澹園先生竑〉，頁 829-830。

61 明·周暉，《續金陵瑣事》（《南京稀見文獻叢刊》2，南京：南京出版社，2007 年 9 月第 1 版），下卷，〈兩世同榜〉，頁 232。

62 《靜志居詩話》，卷 16，〈焦竑〉，頁 5 上。

《焦氏藏書目》二卷；**63**另著有《澹園集》、《焦氏筆乘》、《玉堂叢語》、《國史經籍志》、《國朝獻徵錄》等書若干種。

第四節　天啓至清初時期（1621-清初）

　　本節所列清初的藏書家，乃生於明朝，而卒於清初者。此一時期，南京藏書家們目睹著朝堂上君昏臣懦、黨同伐異、兵弱將貪等黑暗局面，以及隨之而來的亡國易鼎、天崩地裂的慘痛景象，卻只能長嘆無力回天，於是轉而埋首癖嗜一生的藏書本業，用以蘊洩滿腔的悲憤與不平之志。然於亂世烽煙當中，欲延續私人的藏書事業，絕非易事。尤其此刻南京正處於凶險多災的境地，流寇餘孽、南明勢力、地方亂兵、清軍南下等各路人馬，莫不對南京的私人藏書事業帶來極大的威脅。儘管如此，南京藏書家們卻仍然堅持著多年的藏書志向，私人藏書風氣依然盛行不減。尤其是藏書事業的規模，以及藏書技術的講究與精進，更是一日千里，累積了許多寶貴的藏書理論和經驗，並不斷地與其他地區的藏書家們進行交流。

1.丁璽（生卒年不詳）

　　字伯符，江浦籍，居上元縣。「篤志力學，藏書萬卷。以萬曆四年（1576）貢生，官訓導。著有《希山吟》。」**64**

2.朱之蕃（1546-1624）

　　字元介，號蘭嵎。本爲山東聊城縣人，後附籍南京錦衣衛，遂居上元縣。「萬曆乙未（23年，1595）進士一甲一人及第，授翰林院修撰。之蕃幼即穎拔，甫數歲，日誦千言，能文善書，輩驚異之。天性尤醇篤，奉親極孝；既貴，悉以祖遺田讓弟。在史館時，加一品服奉使朝鮮，及還，盡却其贈賄。朝鮮人乞

63　《千頃堂書目》，卷10，〈簿錄類〉，頁295。

64　《金陵通傳》，卷21，〈丁遂〉，頁613。

書者鱗集，或至以貂參爲贄，盡斥以買古法書名畫。……後丁內艱，遂不復出，通籍三十年，立朝之日無幾。歸里後，闢三徑於永慶寺旁，名『小桃源』，嘯咏自樂。」[65]又好臨池，「楷法敏速，腕際有神。居平不事生產，惟喜法書名畫，牙籤玉軸，垺於寶晉（米芾，1051-1107）。」[66]清人朱緒曾云：「維時姚汝循鳳麓、司馬泰西虹、黃甲首卿、李登如眞、朱之蕃元价、黃居中明立，俱以收藏名。」著有《奉使朝鮮集》、《南還雜著》、《落花詩》。

3.朱從義（生卒年不詳）

字無外，南京錦衣衛籍，居上元縣，爲朱之蕃子。「性孝友，雅修自飭。以廕入國學，後官至浙江溫台副使。居官勤愼，不染一塵，金石圖書，摩娑不輟。詩畫俱有父風。」[67]

4.顧起元（1565-1628）

字太初，號鄰初，江寧縣人。「萬曆戊戌（26年，1598）探花，官止吏部侍郎」，[68]卒諡文莊。清人朱緒曾嘗論明時金陵收藏家，稱：「焦竑弱侯有《金陵名賢帖》，顧起元鄰初有《江甯古金石考》，尤爲表著」；而《千頃堂書目》亦載顧起元，編有《金陵古金石考目》一卷，[69]足見顧起元十分癖嗜於地方文獻之徵集與保存。另著有《爾雅堂家藏詩說》、《客座贅語》、《說略》、《蟄菴日記》、《嬾眞草堂集》等書。

65 《上元縣志》，卷16，〈朱之蕃〉，頁20上-下。

66 清·徐沁，《明畫錄》（《明代傳記叢刊》72，臺北：明文書局，1991年10月初版），卷4，〈朱之蕃〉，頁65。

67 《金陵通傳》，卷19，〈朱之蕃〉，頁558。

68 清·錢謙益，《列朝詩集小傳》（《明代傳記叢刊》11，臺北：明文書局，1991年10月初版），不注卷數，〈顧起元〉，頁189。

69 《千頃堂書目》，卷10，〈簿錄類〉，頁296。

5.吳國賢（生卒年不詳）

　　字一所，上元縣人。明中後期「諸生，邃於《易》，四中式皆被乙，例得貢，不就。盡以生產付三子，以一老僕自隨，讀書吉祥寺。受業四十餘人，學俸悉以市書，貯大樓，任弟子取讀；以餘錢給膏火不繼者。歲讀十三經，及史、漢一過。著有《白土山房集》。」[70]

6.姚福（生卒年不詳）

　　字世昌，一字宋素，或作守素，南京錦衣衛籍，居上元縣。生存年代約與吳國賢同時，國賢好藏書，「同時，好藏書者姚福。」[71]「世襲千戶。嘗構屋一楹，榜曰：『青溪精舍』，每俸入，輒以購書訓子弟。里中多從問字，有求詩文者輒應之。博學洽聞，留心古今之事。著有《風露亭稿》、《青溪暇筆》、《定軒詩話》、《窺豹錄》、《避喧錄》。」[72]

7.黃居中（1562-1644）

　　字坤五，亦字明立，學者稱海鶴先生，上元縣人。先世為福建晉江縣籍，因官於金陵，樂秦淮風土，遂家焉。「少穎異，十歲能文，萬曆乙酉（13年，1585），舉禮經魁，授上海教諭，教養士子，同於子弟。陞南國子助教，遷監丞，訓士一如教庠之法。暇則與六館僚友，講究典籍，大肆力於文章，名噪甚。轉貴州黃平知州，投檄不赴，歸老青溪之上。」[73]「曾官戶部主事，忠端公（黃尊素，1584-1626）在詔獄中，親受易學。後以南京國子監監丞，終老金陵。家中藏書極富，主持風雅。」[74]清中葉時人朱緒曾曰：「《千頃堂書目》三十二卷，上元黃虞稷兪邰徵君所輯。兪邰父居中，字明立，世稱海鶴先生，閩籍，

70　《金陵通傳》，卷17，〈吳國賢〉，頁505-506。

71　《金陵通傳》，卷17，〈吳國賢〉，頁506。

72　《金陵通傳》，卷17，〈姚福〉，頁506。

73　《上元縣志》，卷19，〈黃居中〉，頁51下。

74　黃嗣艾，《南雷學案》（《清代傳記叢刊》26，臺北：明文書局，1985年5月初版），卷4，〈監丞黃明立先生〉，頁233。

萬曆乙酉舉人，官上海教諭，遷南國子監丞，轉黃平知州，不赴。築『千頃堂』，藏書數萬卷。年八十三，聞北京陷，北向一慟而卒。今西華門外馬路街，是其遺居也。虞稷爲海鶴之次子，能讀父書，薦修《明史一統志》。」[75]輯有《明代人爵里著述略》、《千頃齋藏書目錄》。[76]

8.徐弘基（？-1644）

字紹公，號六岳，南京人。爲「中山武寧王達（1332-1385）之後，世居大功坊里。崇禎時，襲爵魏國公，守備南京。」[77]明初分封功臣，太祖認爲徐達功績勳偉，爲武臣之首，初封信國公，進封魏國公。徐達歿後，長子徐輝祖（1368-1407）襲爵，嗜書好學，自此以後，累世尙文。明末上元縣文人周暉（1546-？）說道：「魏國公徐輝祖（1368-1407），常侍皇太子、諸王，學通經史。洪武二十九年（1396），太祖命會禮部、翰林院，試國子師生藝，第其優劣，送吏部銓用。魏國公豈特長於武而已乎！」[78]徐弘基生「性敏悟，家多藏書，詩字有晉唐人風。崇禎中應天旱疫，救荒多善政，累加太傅。十七年（1644），聞北都之變，感愴卒。」[79]

9.丁明登（生卒年不詳）

字元龍，號蓮侶；或作字蓮侶，一字劍虹，江浦縣籍，居上元縣，丁璽子。「萬曆丙午（34年，1606）舉人，丙辰（44年，1616）進士，授泉州推官，陞

75 《開有益齋讀書志》，卷3，〈千頃堂書目〉，頁174。

76 黃虞稷嘗指其父黃居中編有《千頃齋藏書目錄》6卷，則黃虞稷編輯之《千頃堂書目》，極可能是《千頃齋藏書目錄》的延伸之作。見《千頃堂書目》，卷10，〈簿錄類〉，頁295。

77 清·李瑤，《繹史摭遺》（《明代傳記叢刊》105，臺北：明文書局，1991年10月初版），卷11，〈徐弘基〉，頁142。

78 《續金陵瑣事》，上卷，〈學通經史〉，頁189。

79 清·陳作霖，《鳳麓小志》（《中國方志叢書》華中39，臺北：成文出版社有限公司，1970年臺1版，據清光緒26年刊本影印），卷2，〈徐輝祖〉，頁136。

戶部主事，至衢州知府。」[80]子雄飛，嘗自述曰：「十三歲，隨先君子宦溫陵，固文藪也，雖閉署中，先君子日搜典籍，予得肆披閱，燈燼雞鳴，率以爲常。凡手錄者、童子錄者，雖未等身，然已盈箬。……後先君子西去，遺書二十櫥。」[81]清人曹森亦嘗謂：「曾見胡恢《南唐書》十卷，爲司馬西虹泰家藏，後歸丁蓮侶家。」[82]

10.鄭觀光（生卒年不詳）

字我生，上元縣人。清末陳作霖嘗論明末南京私人藏書，曰：「時金陵藏書之家又有鄭觀光，字我生，上元人。居花盝岡，與其兄觀光友愛。舉萬曆三十四年（1606）鄉試，忽失明，十餘年始復故，乃謁選，得蕪湖訓導，力學敦行，爲多士式。歸後草屋數楹，不改其舊，而縹緗充棟焉。」[83]

11.鄭埏（生卒年不詳）

字大甫，一字山臞，上元縣人，鄭觀光子。「喜賦詩飲酒，大醉輒登長干塔頂，周繞欄楯，大聲叫嘯。家既多書，緗閱殆遍，人問某書過目否，即遣童持至不待借也，其強記如此。」[84]

12.孫國敉（1584-1651）

字伯觀，原名國光，一名國莊，六合縣人。天啓5年（1625）恩貢，廷試第一，授延平訓導，旋晉內閣中書。「精賞鑒，碑版書畫，爭集其門。居金陵小館，近廟市，董宗伯（董其昌，1555-1636）時過其寓，緗閱竟日。」[85]勤於撰作，「著有《古今易索》、《讀書通》、《藏書通》、《臨池通》、《石食

80 《明代金陵人物志》，不分卷，〈丁明登〉，頁299。

81 《金陵通傳》，卷21，〈丁雄飛〉，頁614-615。

82 《開有益齋讀書志》，卷2，〈南唐書注〉，頁88。

83 《金陵通傳》，卷21，〈丁雄飛〉，頁616。

84 《金陵通傳》，卷21，〈丁雄飛〉，頁616-617。

85 《明代金陵人物志》，不分卷，〈孫拱敉〉，頁322。

有致。窗下雜植花卉杞菊，倚而嘯詠，自謂不減古人。」[49]其實，以上所述諸文士除喜好收藏文物或是閱讀書籍外，仍有多位兼爲明代南京知名的藏書家，其藏書事蹟將分述於後。

　　一般說來，進德修業、增廣見聞，是古代文人致力於藏書活動的主要目標之一。明初大學士胡廣（1370-1418）曾經加以闡釋，說道：

> 人之於學，必先於積書，積書猶積貨然。積之之廣，然後可以窮搜遠覽，微以至乎天人性命之蘊，隱以探乎鬼神造化之賾大，以盡夫君臣父子之倫，小以極夫衣服飲食之節。至於禮樂制度之懿、刑政禁令之詳，九夷八蠻之交通，四方風氣之開闢，山川道里之遠近，州郡都邑之沿革，醫藥卜筮之源流，騷人墨客之賦詠，風雨霜露之宜，昆虫草木之變，與夫萬事萬物之理，無所不知，無所無盡，然後可以成其材器、德性之美，而至乎聖賢之域，否則不足謂之學者矣！古之君子績學以成其名，未有不本於茲。[50]

爲了廣泛地閱讀以求進入博雅之境界，有明一代，學者們大多喜愛藏書，並且出現了許多私人圖書館，藏書量十分豐富，往往都在萬卷以上，[51]尤其是江南地區，明中後期更出現了許多知名的大藏書家。據謝肇淛所指，約略有以下諸位：

> 王元美（王世貞，1526-1590）先生藏書最富，二典之外尚有三萬餘，其他即墓銘、朝報，積之如山，其考核該博，固有自來。汪伯玉（汪道昆，1525-1593）即不爾，豈二公之學有博約之分耶？然約須從博中來，未有

49　《客座贅語》，卷5，〈苦竹君〉，頁139。

50　明・胡廣，《胡文穆公文集》（《四庫全書存目叢書》集部28，臺南：莊嚴文化事業有限公司，1997年6月初版，據復旦大學圖書館藏清乾隆15年刻本影印），卷10，〈崇書樓記〉，頁36下。

51　《晚明士風與文學》，頁12。

聞見寡陋而藉口獨創者，新安（汪道昆）之識固當少遜瑯瑯（王世貞）
耳。近時則焦弱侯（焦竑）、李本寧（李維楨，1547-1626）二太史皆留
心墳素，畢世討論，非徒為書簏者。[52]

明代私人藏書總量之多，私人圖書館之眾，藏書家人數之多，可謂洋洋大觀。
而明代藏書家的社會身分包括宗藩、官僚階級、地主豪紳與一般讀書人。明代
私人藏書，不論是書樓的數量或收藏總量，都遠遠地超過了明代的官府藏書。[53]
　　擁有藏書以後，明代文人往往也耽於劬書，讀而校之，校後復讀，讀後再
校，學問乃因而增進，見識亦隨之廣博，故而樂此不疲，日復一日未曾間斷。
何良俊自喻曰：

　　古人云：「校書如拂几上塵。」言旋拂旋有也。余前身或是雕蟲所化，
　　每至長夏，置棐几於前榮，橫陳一冊，朱白不去手，則是日不知有暑，
　　不然則煩悶欲死，乃知此固其宿業也。又古人言誤書，思之亦是一適，
　　苟適其適，又何憚焉！故見者雖或嗤誚之，不置也。……今世書籍訛舛
　　甚多，偶有所見，則書於冊。[54]

何良俊藏書充棟，復勤於閱讀，自比書中蠹魚，啃讀歲月，堅信讀書乃文人本
業，其文學形象之清新高雅，甚為當世所稱。
　　此外，對於明代江南文人來說，建書樓以藏書，更高雅於添置其他物業以
營生計。誠如王褒盛讚文人佈置與建造讀書、藏書處所的價值，論曰：

　　為臺榭以備詞舞，可謂樂矣！非其道也。為庫藏以貯貨財，可謂富矣！
　　非其教也。為庖廚以治膳羞，可謂適矣！非其禮也。為池館以結交遊，

52　《五雜俎》，卷13，〈事部一〉，頁266。

53　文毅，〈明代私人藏書興旺原因及特徵〉，頁100。

54　《四友齋叢說》，卷36，〈考文〉，頁325。

散佚軼。」[81]而上元黃氏藏書，在黃居中身後，幸有黃妻周氏、子黃虞稷等人的克承家業，才使黃氏藏書益發光大，聲名遠播，所錄藏書竟達八萬冊之多。可惜黃虞稷卒後，子孫未能秉持父祖的藏書志向，「墳土未乾，皆歸他人插架，深可惜也。」[82]總之，書與讀書人，自古以來，便有密不可分的連帶關係。讀書人買書、藏書，都是順理成章、天經地義的事。所以，古往今來，不知出現多少耗費畢生，甚至是數代人的精力，專事藏書而形成的藏書鉅族。[83]

二、友朋社群與藏書

　　明代文士喜好結社，文社、詩社等各種文人社集，遍佈大江南北。文社之立，本為文士們相互揣摩時文之趨勢，追求晉身科舉功名而設。但文社之人，往往生氣相屬，交通頻繁，因此在一定的程度上，積極促進了各地區之間文化與學術的交流，也推動了文化事業的勃興。[84]明代文人的集團性相當發達，可從明代文人的好事風格來看出端倪。好事之風古已有之，而於明尤烈。舉凡好事性格所及，文人們開始相互標榜，即稍有一些表現，就可相互加以品題，樹立門戶，形成一個主題社群。明代多不勝數的詩社、文社、酒會……等集團，以及其他因為各種不同文化目的而組成的文人會社，都是在明代文人間盛行的標榜風氣下的產物。例如明代南京有一位「少岡王文耀善畫，乃利家之出色者。且好事，多收宋元名筆，因結一畫社於秦淮，邀而入社者皆名流。」[85]因此，有時借著以文會友為題，卻只是舉辦文酒之宴、聲伎之好，或相與品書評畫，彼酬此唱，成為一種文人時尚。[86]

81　《國朝耆獻類徵初編》，卷470，〈隱逸十〉，頁578。

82　《明詩紀事》，卷14下，〈黃居中〉，頁109。

83　黃曉霞，〈私家藏書文化論〉，頁36。

84　趙子富，〈明代學校、科舉制度與學術文化的發展〉，《清華大學學報》哲學社會科學版，1995年第2期，頁89。

85　《二續金陵瑣事》，上卷，〈畫社〉，頁318。

86　郭紹虞，〈明代的文人集團〉，收入郭紹虞，《照隅室古典文學論集》，上海：上海古籍出版社，1983年9月第1版，上編，頁518-526。

明代文人的社集通常會立規約，備酒宴與伎樂，賓主各自出示收藏品，翰墨觴詠，進行文會。南京爲明朝陪都，江南藝文總薈之場，本地文士們的文會社集，更是多如牛毛，至無日不會，其絲竹宴樂達旦通宵者，亦是隨處可見。一般而言，明代文人之雅會十分崇尚詩文與酒，如果在文會當中，座主未備酒宴，或是座上摻雜俗客，則賓朋必將無法盡歡，而這種習慣在明代南京的藝文社交圈內，也是蔚成定俗與風氣。明代的南京文人周暉，便曾經談到當時的這種情形，他說：

> 有一人，目不識字，好邀人結詩社，且飲食甚菲，而又愆期。好事者嘲之云，「紐穿腸肚詩難就，叫破喉嚨酒不來。」道其實也。雖然，詩社不愈鬥雞呼盧之場乎？嘲之者過矣！[87]

所以，明代一般文會社集的趣味性，往往是包含了以文會以友、品題賞鑒、翰墨唱和等藝文之事，以及宴樂戲謔等酒宴之歡，雖然有時難免離題，但明人卻不以爲怪，認爲仍然高雅於一般市井小民的聚鬧喧俗。以下，我們便透過史料上記載的友朋關係，來瞭解一下明代南京的藏書家集團之間，所存在之藝文社集活動的群體性。

明代南京文人群體開始有正式定名的盟會社集，實肇始於天順年間的「南都吟社」，然此時南京已成陪都，京師已遷往北京。江寧藏書家司馬泰曾說：

> 吾鄉雖稱都下，去輦轂遠，宦于此者，率事簡多暇，得遂觴詠之樂。天順中，翰林學士周公敘（1392-1452）始結詩社，擇吾鄉能詩士人若賀公確、王公麟、羽流邵以誠凡十人與游，題曰：「南都吟社」。成化間，翰林學士西蜀簣齋周公宏謨（1421-1492）繼之，復與士人沈公庠、任公彥常、金公冕十二人游，題曰：「清恬雅會」。正德間，戶部侍郎海陵

柴墟儲公巏（1457-1513）復繼之，乃與揮使劉公默、士人施公懋、謝公
承舉凡十人游，題曰：「秣陵吟社」。[88]

以上是明代南京具有正式社名的詩文社群，至於南京文士間的藝文品題、觴詠
流連等文會過從活動，則自明初伊始，便有記載。明初金陵藏書家伊彤，「嘗
建『清溪書舍』，藏經史典籍，以至律呂、曆數、天文、地理、醫藥等書，日
討論其間」，「一時名流，多游於門，如簡討陳繼、侍讀金問（1370-1448）、
尚書魏驥（1374-1471）、周忱（1381-1453）、侍郎陳璉（1370-1454）輩，相
與尤密。」[89]伊彤藏書以備友朋，同讀共享，首開明代南京藏書家社群文會過
從之風氣。（請參見圖六）

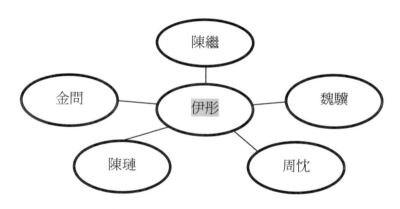

圖六：伊彤交游示意圖。[90]

稍後，有江寧藏書家蔣用文，與江西藏書家楊士奇為摯友，兩人相知相惜，
私交彌篤。楊士奇宣稱：「士奇與用文，同事上於春宮，相知實深！」[91]可見

---

88 《金陵詩徵》，卷19，〈司馬泰〉，頁22上。

89 《吳縣志》，卷49，頁7上。

90 以下圖六至圖十二，其中人名以灰底呈顯者，即為明代南京的藏書家。

91 《皇明名臣墓銘》，震集，〈承德郎太醫院院判贈太醫院院使謚恭靖蔣公墓表〉，頁54。

兩人的友好情誼。（請參見圖七）上元縣藏書家史忠，亦雅好文會，廣事交遊。
家有「臥癡樓」，庋列圖史，時招賓朋會文同樂。《列朝詩集小傳》載史忠：

> 自號癡翁，樓近冶城，署曰：「臥癡」，引客談笑呼盧其中，酒沾唇輒
> 醉，醉則搦管為新聲樂府，略不搆思，或五六十曲，或百曲，方閣筆，……
> 醉後綺歌，絲肉交奮，同時陳大聲（陳鐸，約 1488-約 1521）、徐子仁
> （徐霖），皆歉羨以為弗如也。時時出游，不問所往。邳州湯指揮慕癡
> 名，過訪，方盛暑，散髮披襟，笑語甚適，徑攜手登舟，游下邳，家人
> 不知也。……石田（沈周，1427-1509）來金陵，亦館「臥癡樓」。[92]

史忠交遊甚廣，多為當世名流與藏書家，他除了與同縣藏書家徐霖為文友外，
與長洲藏書家沈周也是好友。而上元藏書家徐霖，除與史忠時相過從外，也和
長洲藏書家文徵明結為文友，三人皆篤好藏書。尤其是徐霖，時人譽稱：「公
家多藏書，海內志書尤夥」，更為書友之間的重要資源。當時，與徐霖為友朋
關係者，還有同縣的藏書家黃琳、謝少南等人，三人並以藏書名重於時。《二
續金陵瑣事》載：

> 有黃琳美之者，錦衣衛指揮內監賜從子也。家多藏書，長於藝文，徐（徐
> 霖）、謝（謝少南）輩多從之游。[93]

黃琳家有「富文堂」，收藏書畫典籍甚富，文朋書友，交遊甚廣。除上述諸位
藏書家外，他與同縣藏書家顧璘、蘇州藏書家都穆（1459-1525），也是文友。
《金陵瑣事》載其交遊情況，云：

---

92 《列朝詩集小傳》，不注卷數，〈癡翁史忠〉，頁 388-389。
93 《二續金陵瑣事》，下卷，〈欣慕編〉，頁 337。

吳中都玄敬（都穆）自負賞鑒，且眼界甚富。一日，同顧華玉（顧璘）
先生聯騎，過美之看畫。玄敬謂美之曰：「姑置宋元，其亦有唐人筆乎？」
美之出王維著色山水一卷、王維《伏生授書圖》一卷，又出數軸，皆唐
畫也。玄敬看畢，吐舌曰：「生平未見！生平未見！」[94]

足見黃琳與都穆、顧璘等輩的文會情形，尤其是黃琳與徐霖兩人的交情非常深
厚，更是突兀於諸友當中。譬如在某次文會當中，黃琳「偶登徐霖『快園』中
亭，或曰：『此園與長干塔對，惜為城隔。』即以金促霖起高樓望之。家有『富
文堂』，每當讌飲，霖與陳鐸為上客」，[95]而徐霖與陳鐸，也是史忠的座上佳
賓，足證當時上元縣藏書家的社群網絡之緊密。此外，「富文堂」典藏之珍秘，
亦可謂稱雄藝林，甲於南京。

圖七：蔣用文交游示意圖。

　　顧璘除與黃琳、都穆文會外，也與長洲藏書家文徵明交往，文徵明嘗稱其：
「少負才雋，以文學聞於時。」顧璘十分喜好結交文客，「二十一成進士，為
詩歌與劉麟元瑞（1474-1561）、朱應登升之（1477-1526）齊名，曰：『江東
三才子』。」[96]時人稱其：「詩富才情，格不必盡古，而以風調盛，往往膾炙
人口。文小弱，然亦宛宛雅趣。延接名流，如恐失之。」[97]
　　如同徐霖與顧璘，上元縣藏書家盛時泰，也與長洲藏書家文徵明為友，徵
明嘗過其家且題其軒。《金陵通傳》載盛時泰云：

94　《金陵瑣事》，卷3，〈收藏〉，頁95。
95　《金陵通傳》，卷14，〈黃琳〉，頁409。
96　《皇明詞林人物考》，卷4，頁635。
97　《皇明詞林人物考》，卷4，頁636。

幼有藻思，長跌宕不羈。好賓客，以諸生充萬曆二年（1574）歲貢，高
才不遇。……卜居大城山中，又於方山祈澤寺構野築，杖策跨蹇，欣然
獨往，家人莫能迹也。……善畫水墨竹石，文徵明題其軒曰：「蒼潤」。
晚號大城山樵。**98**

此外，盛時泰也廣結當時江南的知名文士，江寧藏書家顧起元指出：「盛貢士
時泰，在慶、曆間，以才名噪一時。楊用修（楊慎，1488-1559）、王元美（王
世貞）二先生皆與之友，稱譽之。」**99**

　　誠如前文所述，盛時泰的好事性格，也感染到家庭當中。其子盛敏耕，與
上元縣藏書家焦竑有同窗之誼，又與江寧縣藏書家顧起元，時時探論藝文，過
從相尋，文采風流，一類其父。顧起元嘗謂：「盛文學敏耕，字伯年，自號壺
林，仲交先生（盛時泰）子也。少有風貌，博聞彊記，所為詩古文辭，奕奕負
雋聲。嘗讀書『永慶山房』，與余上下議論。後同纂《江寧邑志》，多出君手
筆。以潦倒名場不得意，居恒邑邑。晚乃稍進酒博以耗其雄心，久之遂卒。弱
侯先生（焦竑）故與君同研席，推服君不容口，為草墓志，極惋悼之致。」**100**
　　上元縣藏書家李登，與同縣藏書家姚汝循同結文社，相互探究藝文之事，
且兩人亦皆與秀水藏書家馮夢禎為文友。馮夢禎嘗述及三人結交的經過情形，
曰：

歲甲午（萬曆 22 年，1594），余鄉僧覺者，發願倡期修補「南大藏」
于報恩寺，而延鄉達李如真先生（李登），與二、三名衲，任校讎之役。
余時待罪，南掌翰務，寡意勝月，必一再出，于是識姚鳳麓先生，蓋先
生如真社友也。……先生諱汝循，字叙卿，初名理，後以字行，別號鳳
麓，以家近鳳皇臺故。**101**

98　《金陵通傳》，卷 14，〈盛時泰〉，頁 413-414。
99　《客座贅語》，卷 7，〈盛仲交〉，頁 236。
100　《客座贅語》，卷 9，〈盛伯年〉，頁 283。
101　《快雪堂集》，卷 12，〈前大名知府姚叙卿先生墓志銘〉，頁 1 上-下。

報恩寺在聚寶門外，爲南京知名古刹，不知多少文人墨客，曾經流連於此。另外，報恩寺還貯藏了很多的佛教經典，其中最有名者，爲雕板《大藏經》，時稱「永樂南藏」。而報恩寺也刊行了很多佛經，是當時全國佛經印刷與流通的中心。「永樂南藏」乃成祖敕印，完成於永樂年間。到了萬曆時期，已然經歷了一百七十餘年之久，散亂逸失處頗多，亟待整理。時報恩寺僧釋覺發願修補，延請當地名士李登進行校讎工作，因之得與時任南京詹事府右諭德兼署翰林院的馮夢禎結識，而此刻李登與姚汝循，亦早已是同社的文會之友了。

　　而焦竑與寧國府宣城縣藏書家梅鼎祚（1549-1615）亦爲摯友，兩人的交好，可能和他們都雅好藏書有關。焦竑是南京知名的藏書家，而梅氏父子也家藏數萬卷。梅鼎祚，字禹金；其父梅守德（1510-1577），仕至紹興知府，「藏書數萬卷，禹金朝夕從事，不遺餘力。」[102]此外，兩人與杭州府秀水縣藏書家馮夢禎，以及蘇州府常熟縣藏書家趙琦美（1563-1624）等人也是書友，梅鼎祚曾約焦竑、馮夢禎、趙琦美等人共爲「鈔書會」，規定三年一會於金陵，互鈔異書，[103]可惜後來未能實現。（請參見圖八）

---

102 明・梅鼎祚，《鹿裘石室集》（臺北：故宮博物院藏明天啟 3 年宣城梅氏玄白堂刊本），書前序，梅守箕〈校次與玄草題辭〉，頁 6 下。
103 龍曉英，〈焦竑與戲曲家南京交游考〉，頁 62。

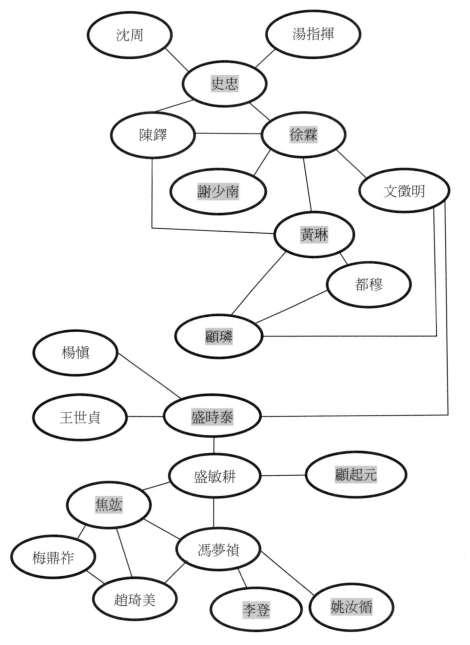

圖八：史忠、徐霖、謝少南、黃琳、顧璘、盛時泰、顧起元、焦竑、李登、姚汝循交游示意圖。

　　原屬江西吉安府泰和縣籍的藏書家羅鳳，因改隸南京水軍右衛籍，遂遷居上元縣。但他仍然十分重視藝文雅集，且維繫與故里文士的往來過從。「乞休歸，開『延休堂』以接賓，建『芳瀾閣』以儲書，所藏法帖名畫、金石遺刻數千種。」他與江西同鄉知名文士羅欽順（1465-1547）私交最善，過從最密，羅欽順嘗曰：「侍御羅君子文（羅鳳），與余同姓，且同出泰和，同官南都亦有年矣。每公事粗辦，時時徃還相晤語，蓋相好如兄弟然。」**104**（請參見圖九）

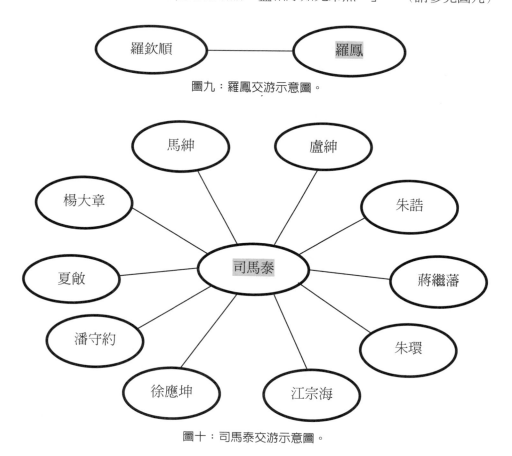

圖九：羅鳳交游示意圖。

圖十：司馬泰交游示意圖。

104 明・羅欽順，《整菴先生存稿》（臺北：國家圖書館藏明嘉靖 31 年泰和羅氏家刊本），卷 6，〈贈侍御羅君考績序〉，頁 20 下。

　　江寧縣的藏書家司馬泰，以濟南知府致仕，宦途多舛，卻十分熱衷於文會結客。他曾說：「予歸田來，二稔咸甯。盧書庵紳來為大司徒，而西平王公崇谿詣亞焉；通州馬石渚紳來為大司空，而餘姚楊東橋大章（1491-1568）亞焉。未期而為會者七，入冬四會，俱有唱和，得詩四十八首，題曰：《三餘雅會錄》，蓋以四公經理有暇，仕之餘也；予與石村力穡，就閒耕之餘也；又入冬為會，歲之餘也。」[105]足見他對社事之熱衷。《金陵通傳》亦載其交遊，云：

> 泰字魯瞻，以其居西虹橋畔，故號西虹。舉正德十三年（1518）鄉試，嘉靖二年（1523）成進士，拜南京御史。……擢懷慶知府，調嘉興，轉濟南，……為同官所忌，致仕歸。與同縣蔣繼藩、朱環、江宗海、徐應坤、潘守約、夏敵友善，築園曰：「懷洛」，自稱龍廣山人，約同志為「三餘雅會」。……朱環，字德佩，本姓沈。少敏悟，以疾廢學。比長，忽奮起讀書，舉弘治十七年鄉試，明年成進士，官南京兵部郎中。曉暢軍事，遭蜚語罷，躬耕自給，獲倍老農。與泰為林下會，棋品居社中第一。[106]

　　綜觀以上所述，司馬泰歸里後的文會過從，可謂多姿多采，而社集的內容也相當豐富多樣，至少包括詩文與棋藝等趣味活動。（請參見圖十）

　　六合縣的藏書家孫國敉，家富收藏，與當時知名的華亭縣藏書家、藝術家兼收藏家董其昌為書友。孫國敉「居金陵小館，近廟市，董宗伯（董其昌）時過其寓，繙閱竟日」，兩人密切往來，探論藝文。此外，孫國敉與上元縣藏書家朱廷佐亦為摯友，孫國敉曾經延請朱廷佐擔任教席，並相與談論撰著之事。朱氏後人朱緒曾，曾經自述先世云：

105　《金陵詩徵》，卷19，〈司馬泰〉，頁22上。

106　《金陵通傳》，卷14，〈司馬泰〉，頁398-399。

朱氏先世之可考者曰紫山公，即南仲公之父也。紫山公嘗與南仲公應南
都鄉試，因為長孫嗣宗公締何氏姻，約江繼泉共移居金陵。……南仲公
入蘇郡庠，與周忠介（周順昌，1584-1626）友善。六合宰米萬鍾
（1570-1628）及中翰孫國敉延主講席。……南渡後，面折馬（馬士英，
約 1591-1646）、阮（阮大鋮，1587-1646），不求仕進。……孫伯觀（孫
國敉）著《棠邑枝乘》，南仲公為商榷，交最相契。……南仲公諱廷
佐。**107**

觀此，除瞭解到孫國敉與朱廷佐兩位南京藏書家的深厚交情，以及兩人之間，
經常探討藝文之事外，還可略窺朱廷佐在南京的交遊圈，例如他與南京當地文
士江繼泉、周順昌、米萬鍾等人，也都具有朋友關係。（請參見圖十一）

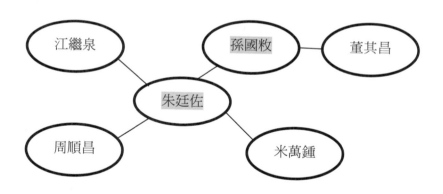

圖十一：孫國敉、朱廷佐交游示意圖。

　　到了明末清初，南京藏書家的社群性格仍未稍減，藏書家之間的友朋關係
發展，仍然十分旺盛。他們繼續透過明代文人間普遍標榜崇尚的文藝會社組織
形態，甚至出現了專門以互訪藏書，互鈔有無為主旨的書友社群，而其中最為
知名者，就是上元縣的兩位藏書家——丁雄飛與黃虞稷成立的「古歡社」。

107　《開有益齋讀書志》，卷6，〈朱氏家集〉，頁389-391。

　　誠如前述，明末南京上元縣黃氏藏書實肇始於黃居中，「居中字明立，號
海鶴，萬曆十三年（1585）舉人，除上海教諭，轉國子監丞，擢黃平知縣，不
赴。自晉江來居金陵，家馬路街，構『千頃堂』以藏書。與薛岡、張肇齊名；
岡字千仞，肇字元著，常熟錢謙益，并謂爲『金陵三老』。又嘗集龔賢及、范
璽卿、鄭千里、張隆甫、朱元衛，結詩社於秦淮」，[108]可見黃居中除了喜好藏
書外，也熱衷社事，喜好結客會文。其仲子黃虞稷，除承繼父親的藏書志業之
外，也深受父親喜好文會社集的性格特徵所影響，一生交遊廣闊，且交往的對
象，幾乎都是當世名人，例如同縣藏書家丁雄飛、嘉興府秀水縣藏書家朱彝尊、
蘇州府崑山縣藏書家徐乾學（1631-1694），以及知名文士萬斯同（1638-1702）
等輩，他們經常往來，相互切磋學問。[109]此外，還有蘇州府常熟縣藏書家錢謙
益，黃虞稷尊爲夫子，且曾說道：「惟夫子之于書，有同好也。」[110]（請參見
圖十二）

108　《金陵通傳》，卷21，〈丁雄飛〉，頁615-616。

109　陳少川，〈黃虞稷藏書概況和圖書館學成就考〉，《圖書館研究》，1998 年第 2 期，
　　　頁94。

110　清・錢謙益，《牧齋有學集》（《錢牧齋全集》，上海：上海古籍出版社，2003 年 8
　　　月初版），卷26，〈黃氏千頃齋藏書記〉，頁994。

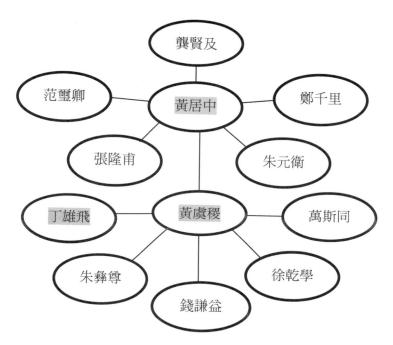

圖十二：黃居中、黃虞稷、丁雄飛交游示意圖。

　　諸友當中，尤其是丁雄飛，與黃虞稷同里，同喜藏書，也篤好交遊社集，
「耆古樂，善仿雲棲功過格，與同志力行，每朔望焚香告神以交徵焉。積書數
萬卷，每出，必擔籠囊載書史以歸。居烏龍潭『心太平菴』，立『古歡社』，
與黃虞稷互相考訂。」丁雄飛也曾經敘述他與黃虞稷，兩家書籍流通的情形，
他說：

> 黃居馬路，予棲龍潭，相去十餘里，晤對為艱。如俞邰者，安不可時時
> 語言，取古人之精神而生活之也？盡一日之陰，探千古之秘，或彼藏我
> 闕，或彼闕我藏，互相質證，當有發明，此天下最快心事，俞邰（黃虞
> 稷）當亦踴躍趨事矣。111

---

111 《古歡社約》，頁 39。

值得注意的是，明代藏書家們獲取圖書的途徑，除了透過文會社集互鈔所藏書籍以外，還經常必須倚賴他的社交圈，透過友朋或職業關係，來流通圖書。例如在官員間，書本常被用來當成贈送的禮物，而透過書籍的贈送，也確實可爲自身建立較爲有利的官場人際關係，且這種風氣，在南北兩京顯得特別盛行。

在元代，全國各地方學校例有刻書，「郡縣俱有學田，其所入謂之學糧，以供師生廩餼，餘則刻書，以足一方之用。工大者，則糾數處爲之，以互易成帙，故讎校刻畫頗有精者，初非圖鬻也。」[112] 入明以後，太祖下令政府刻書工作，統歸國子監辦理，這項制度，一直延續到明末而未改變。崑山藏書家顧炎武（1613-1682）也曾經指出：

> 今學既無田，不復刻書，而有司間或刻之，然祇以供饋贐之用。……昔時入覲之官，其饋遺一書一帕而已，謂之「書帕」。[113]

這類書籍統稱爲「書帕本」，通常包括自己的著作、親友的著作，或是自己喜愛的書籍，大部份是在某個政府機構的資助下刊印出版的。例如萬曆年間，上元縣藏書家焦竑出使山西，便曾獲得時任山西按察使的呂坤（1536-1618）贈書，並攜往京師。時人指稱：

> 呂新吾（呂坤）司寇廉察山西，纂《閨範》一書，弱侯（焦竑）以使事至，呂索序刊行，弱侯亦取數部入京。[114]

尤其是明代的巡按御史，常常利用政府給予的薪俸和地方政府的資金，來印刷書籍，以之作爲贈送其他朝廷官員的禮品。這些禮物，通常是在官員們獲得新

---

112 《儼山外集》，卷8，〈金臺紀聞下〉，頁6下。
113 《原抄本日知錄》，卷20，〈監本二十一史〉，頁520-521。
114 明・朱國禎，《涌幢小品》（北京：文化藝術出版社，1998年8月初版），卷10，〈己丑館選〉，頁218。

職務的任命，或是升職的時候，彼此間相互交換；而這種作法，也往往令朝中的高官們特別欣賞。*115*

　　綜上所述，明代的文人集團在廣大的社會群體當中，有著某些特殊的共通性，而相同的社會集團、階層、派別，他們的審美趣味，也都有比較一致的共同性。*116*明代南京的藏書家社群正屬於江南文人集團中的一支，有些雖然沒有正式組成集團，打出社團的名號，但是他們總是會定期或不定期的舉辦文會，或在家中，或在郊野，或以通信的方式，各自出視所攜帶的書籍或書畫、彝器等文物，相與品隲，或題詠觀摩，或討論版刻，或品味書籍的形式、源流，以及其他種種與書籍有關的賞鑒等。而有些藏書家則正式提出集團的名號，組成會社，有宗旨，有社約。例如明末南京的「古歡社」，便是藏書家之間爲尋求書籍流通，互鈔有無的一種專爲鈔書而組成的文學社團。凡此種種，都是符合明代文人集團的形成特點，是一個值得研究的課題，可爲明代文人集團與文人關係研究，打開另外一扇視窗，由不同的角度進行切入觀察。*117*

---

115 《書籍的社會史：中華帝國晚期的書籍與士人文化》，頁 80-81。

116 朱義祿，《逝去的啟蒙——明清之際啟蒙學者的文化心態》（鄭州：河南人民出版社，1995 年 4 月第 1 版），頁 258。

117 《明代的江南藏書——五府藏書家的藏書活動與藏書生活》，頁 157-158。

第五章　明代南京藏書家的藏書生活

第一節　藏書的徵集

　　誠如前述，明代南京地區由於城市、交通與商品經濟的高度發展，以及刻書業的繁榮、書籍市場的熱絡、明人在南京的文化消費能力水準很高等因素，使得南京成為明代全國數一數二的大型書籍集散地，不但自行生產圖書，也薈萃了來自全國各地的圖書；而普天之下的藏書愛好者，亦宛若過江之鯽，盡皆畢集於此，或採購現版圖書，或蒐訪珍刻秘椠，圖書事業可謂達到空前的鼎盛。再加上明代江南地區的經貿發達，民間社會有餘力消費書籍這類文化商品的人口大幅增加。[1]尤其在購書方面，明人往往不惜捐產購置卷頁典冊；或是聞人有異書，即多方覓求，很多人都是但欲得書而不較其值者。甚至還不乏有析產獲千金，卻全數用於購買書籍而至了無子餘者。總之，他們對於書籍的喜好與癖嗜，可說已經到了如癡如醉，甚至是無法自拔的地步。

　　一般而言，要成為藏書家，必須擁有一定數量的圖書，方可稱作藏書家；但是要擁有很多圖書，就必須花費很多功夫在圖書的徵集上面。所以，從事這個工作，不僅需要充分的時間，還要花費大量的精力和具備一定的財力，才足以成之。也就是說，藏書家必須對圖書具有濃厚的興趣。[2]至於圖書的徵集工作本非易事，特別是蒐藏一些奇本祕笈，更是難上加難，藏書家們往往得耗盡九

1　邱澎生，〈明代蘇州營利出版事業及其社會效應〉，《九州學刊》，第 5 卷第 2 期，1992年 10 月，頁 151。

2　劉意成，〈私人藏書與古籍保存〉，《圖書館雜誌》，第 3 期，1983 年 9 月，頁 60。

牛二虎之力，或傾貲購求，或輾轉傳抄，樣樣都必須付出非常大的代價，方可羅致。³舊時藏書家嘗嘆聚書有六難，曰：

> 購求書籍是最難事，亦最美事，最韻事，最樂事。知有是書而無力購求，一難也；力足以求之矣，而所好不在是，二難也；知好之而求之矣，而必欲較其值之多寡大小焉，遂致坐失於一時，不能復購於異日，三難也；不能搜之於書儈，不能求之於舊家，四難也；但知近求，不知遠購，五難也；不知鑒戒真偽，檢點卷數，辨論字紙，貿貿購求，每多缺軼，終無善本，六難也。有此六難，則雖有愛書之人，而能藏書者鮮矣。⁴

以上只是針對一般的書籍而言，至於若要尋求罕見的奇典祕冊、古董佳槧等珍籍，藏書家所面臨的困難，則當又不止於上述而已。

明代南京藏書家於圖書的徵集上，也是費盡心血。明初，南京藏書家徐昱，每得異書，必手自抄錄校訂。他認為「聖賢之道在是，吾終日求之，思以體諸身也！」因此，他十分熱衷於圖書的徵集工作。溧陽藏書家史學，「勤於問學，本朝諸名家文集，訪抄無遺，下至公文吏牘，囚簿樂錄，有關世道，無不採摭，當代故實，問無不知。」以上兩家，都以抄錄的方式，作為私人藏書的主要蒐集來源。

明代中期，江寧藏書家梅純，於圖書的訪求上，實不惜囊槖。「生平嗜學不厭，見奇書，嘗解衣購之」，足見其人購求之勤。上元藏書家朱之蕃，購求藏品也是散盡貲財，志在必得。《列朝詩集小傳》載：

> 之蕃字元价，金陵人。萬曆乙未（23 年，1595）狀元，官終吏部右侍郎。元价為史官，出使朝鮮，盡却其贈賄。鮮人來乞書，以貂參為贄，橐裝

3　陳冠至，《明代的蘇州藏書—藏書家的藏書活動與藏書生活》（臺北：花木蘭文化出版社，2007 年 3 月初版），頁 208。

4　清・孫從添，《藏書紀要》（臺北：廣文書局，1987 年 12 月再版），第 1 則，〈購求〉，頁 2。

顧反厚，盡斥以買法書、名畫、古器，收藏遂甲於白下。5

朱之蕃利用於宦途中蒐購法書名畫的作法，也正是明代多數喜好藏書的官員們蒐訪圖書的重要辦法，不但可以增加獲得心儀圖籍或奇書珍本的機會，也可告訴世人自身的清廉與高雅，因為明代官員通常於宦旅當中，舉凡所過之關隘，守衛的士卒們都會特別檢查行囊，看看有沒有挾帶違禁物品或非法財物；而一路上的民眾，也都會留意官員們隨身的行李多寡，用來判定該名官員的聲譽高下。而知名的上元藏書家焦竑，對於自家圖書徵集的方式，也是心得獨具。根據焦竑的名作《澹園集》當中所載，約略可以得知有：鈔寫錄副、購買、透過目錄與朋友交流訊息、請人代尋等許多途徑。6例如常州府武進縣的藏書家徐常吉，於任官南京戶科給事中的期間，便曾與上元縣的藏書家焦竑結為書友，一同於南京訪購舊籍。焦竑自稱：「萬曆己卯（7 年，1579）秋，同毘陵徐士彰（徐常吉）尋買舊書，得十數種。」7此即兩人的一項購書紀錄，亦可見透過購買的方式，應是焦竑徵集圖書的主要途徑之一。

到了明末與清初，上元縣藏書家黃居中的書樓「千頃堂」，藏書遠近馳名，且如同焦竑，他也是透過購買的方式來徵集圖書。其子黃虞稷曾經親口告訴常熟縣的藏書家錢謙益說：

> 虞稷之先人（指黃居中），少好讀書，老而彌篤。自為舉子，以迄學官，修脯所入，衣食所餘，未嘗不以市書也。寢食坐臥，晏居行役，未嘗一息廢書也。喪亂之後，閉關讀《易》，箋注數改，丹鉛雜然，易簀之前，手未嘗釋卷帙也。藏書「千頃齋」中，約六萬餘卷。余小子哀劇而附益

5　《列朝詩集小傳》，不注卷數，〈朱侍郎之蕃〉，頁 508。

6　徐昕，〈狀元藏書家—焦竑〉，《中國典籍與文化》，2000 年第 2 期，頁 17。

7　明・焦竑，《焦氏筆乘正續》（《人人文庫》特 120，臺北：臺灣商務印書館，1983 年 6 月臺 2 版），卷 3，〈酒經〉，頁 82。

之，又不下數千卷。惟夫子（指錢謙益）之于書，有同好也，得一言以記之，庶幾刧灰之後，吾父子之名，與此書猶在人間也。[8]

錢謙益家有「絳雲樓」，藏書之富甲東南，嘗自誇：「今吳中一二藏書家，零星捃拾，不足當吾家一毛片羽！」[9]足見其家藏書之多。錢謙益與黃虞稷爲友，兩人同爲知名當世的大藏書家，黃氏父子的藏書也很多，據《明詩紀事》所載：

> 居中字立父，一字明立，晉江人。……歷南國子監丞。……監丞銳意藏書，手自鈔撮。仲子虞稷繼之，歲增月益。太倉之米五升，文館之燭一挺，曉夜孜孜，不廢讎勘，著錄凡八萬冊。[10]

黃氏父子兩代藏書達八萬冊之多，其中黃居中利用購買的方式，累積了六萬餘卷；其餘則是黃虞稷的歲增月益。至於黃虞稷徵集圖書的主要方法，除了持續購買以外，透過鈔錄，也是黃虞稷的重要求書之法，其書友丁雄飛曾經述曰：

> 今且多方搜羅，逢人便問，吟詠聲達窗外。每至予「心太平庵」，見盈架滿牀，色勃勃動，知其心癢神飛，殆若汝陽之道逢麴車者。……或彼藏我闕，或彼闕我藏，互相質證，當有發明，此天下最快心事，俞邰（黃虞稷）當亦踴躍趨事矣。[11]

黃虞稷網羅書冊，尤其注意利用「廣采」與「抄錄」兩種方法的結合。首先，他利用任何可能的機會，不斷地從書肆、書商的手中求書，特別留心於明朝帝王之御製、大臣們的著作，以及文人墨客、清流方外撰寫的各種野史雜記等，

---

8 《牧齋有學集》，卷26，〈黃氏千頃齋藏書記〉，頁994。
9 《牧齋有學集》，卷46，〈書舊藏宋雕兩漢書後〉，頁1529。
10 《明詩紀事》，卷14下，〈黃居中〉，頁109。
11 《古歡社約》，頁39。

以充實自家的典藏。另一方面，他也進行文獻的抄錄複本工作，[12]且所獲甚富。

至於黃虞稷的書友，居住上元縣的藏書家丁雄飛，家中藏書數萬卷，主要的圖書徵集辦法，也是透過購買與鈔寫的方式。《金陵待徵錄》載：

> 丁雄飛，字菡生，江浦人。……其室人亦好讀書，結褵未十日，出篋藏四笥畀菡生，向「書隱齋」求往籍。自後簪珥衿裾，或質或賣，消於購書、寫書，欣然也。[13]

值得注意的是，丁雄飛的鈔錄圖書，可能不是親力為之，而是倩人代鈔，即所謂「傭書」的方式。誠如前文所述，南京是明代數一數二的書籍集散市場，來自四面八方的各地藏書家，往往不辭遠道而雲集此地以購書。此時與丁雄飛同里的藏書家陶汝成，也與丁雄飛一樣，經常前往南京各坊書市購買。丁雄飛說：「有陶汝成者，性孝友。金陵書賈雲集，予五日一探，十日一訪，每往，陶已先在。」[14]

對古代廣大中國讀者來說，獲得書籍的來源最有可能來自商業購買，[15]即透過書賈、藏書之家、書坊、書船、書市或各式各樣的古代圖書販售通路，而其中讓今人比較不清楚的應是「書船」。明代嘉靖、萬曆以降，江南地區開始流行一種沿著內河水系和運河航行，專營書籍買賣的「書船」。船主因長期與圖書為伍，對版本良窳獨具慧眼，以是足跡所至，莫不受到買家禮遇，往往都被敬稱為「書客」。「書客」們不僅賣書，還會想方設法地徵集各地珍本秘笈，向沿埠貧窮人家收購家藏好書。此外，沿埠購書的買主，也可將看過的、多餘的書籍，取來交換新書；而「書客」們往往也會將擁有的善本，轉售與藏書家或刻書家刊印。「書船」沿著發達的江南水路網絡活動，範圍大抵北達京口（今江蘇鎮江），南抵錢塘（今浙江杭州），東至松江（今屬上海）。他們出入於

12　毛文鰲，〈黃虞稷藏書考略〉，頁109。
13　《金陵待徵錄》，卷6，〈丁雄飛〉，頁103。
14　《金陵待徵錄》，卷6，〈丁雄飛〉，頁103。
15　《書籍的社會史：中華帝國晚期的書籍與士人文化》，頁85。

江南文士和藏書之家，兜售由各地運來之新印圖書，還兼營古籍買賣，[16]十分受到明代江南藏書家們的歡迎。

另一方面，明代透過抄錄書籍的方式求書，仍為南京藏書家們獲致圖書的主要方法之一。例如高淳縣的藏書家魏翰先，以「崇禎甲戌（7 年，1634）歲貢，授雲南定武通判，升馬龍州同知，不赴，以隱終。居家孝友，工書法，手鈔史漢全部，垂老猶于燈下作小楷。」[17]又如上元縣藏書家范植，畢生「嗜學不倦，聞人有奇書，必借讀手鈔。」以上諸家，都是以鈔書的方式羅致典籍，用來增強自家藏書的質與量。

第二節　藏書的貯存

圖書保護，歷來便是藏書管理的中心環節。古代藏書，有因政治因素而遭禁毀者，亦有受兵燹而致散佚者，此為人禍。除人為的破壞以外，書籍毀於自然因素的情況也不少。要言之，古代的自然破壞有水、火、蟲等三大害。儘管歷代藏書家皆小心謹慎，但水患、火災、蟲蠹依然無情地吞噬了大量的古籍，受損情況非常嚴重。[18]

中國歷代以來，人們多把對藏書的保護，作為判斷一個人的品行是否端正的依據，提倡愛書護書，反對損書誤書，十分痛恨和鄙視借人書籍卻不加愛護的人和事。中國古代的藏書家們在經歷漫長的藏書實踐活動中，到了明代，已經意識到僅僅從維護書籍的完整入手來對典籍進行保護的方式，很難達到永久性保存的目的。因此，他們轉向對文獻典籍內容的保護和傳播，即透過抄書的方式，將同一內容的文獻製成複本。這不單是中國古代藏書保護方式的一種變革，更體現出藏書保護觀念的進化。中國古代的藏書保護措施歸納起來，大致有三種方式。其一是「秘藏」，即將典籍收藏於金櫃、石室、夾壁或石洞之中，

---

16 徐雁，〈萬卷圖書一葉舟，相逢小市且邀留──活動於江南古書舊籍市場上的「書船」〉，《圖書館研究與工作》，2011 年第 4 期，頁 2-3。

17 《明代金陵人物志》，不分卷，〈魏翰先〉，頁 342。

18 周少川，〈古代私家藏書措理之術管窺〉，《中國典籍與文化》，1998 年第 3 期，頁 22。

以求永久保存。其二是「四防」，即採取防火、防水、防蟲、防鼠的措施，減低藏書受到災害的威脅。其三是「嚴管」，即約定諸如「書不出閣，代不分書」、「杜絕火種，樓不延客」之類的管理制度，以防藏書散亂損佚。**19**

　　明代南京藏書大家輩出，對於家藏典籍的存貯，也多是經過幾番考究的。自明初伊始，江寧縣藏書家蔣用文，任職太醫院，常在近幸之列。篤嗜藏書，無論官署與家中，皆另闢專室以貯放圖籍，時時繙閱。《國朝獻徵錄》載其：

> 志嗜學，雖老不厭，治一室于公署之傍者，顏曰：「緝熙」；于家居幽屏之所右，顏曰：「靜學」，皆盛貯羣籍，暇輒翫閱其中，時忘食寢。……又曰：「緝熙、靜學，意有說乎？」用文曰：「學有緝熙于光明，成王之言也；非靜無以成學，諸葛武侯之言也。吾志在是！」其為詩文，有《靜學齋集》若干卷。**20**

蔣氏的兩個藏書室，一名：「緝熙」，一名：「靜學」，皆取古代聖賢之語，以明自身好學樂道之志。而句容縣藏書家王暐，也是建樓貯書，且為書樓起名立匾。他於「世味一切無所好，顧獨好書，構樓貯之，額曰：『藏書山房』，雖老，持一卷不廢。」**21**上元藏書家姚福，也是類此，「嘗構屋一楹，榜曰：『青溪精舍』，每俸入，輒以購書訓子弟。」其實，古代藏書樓的命名，皆包含許多豐富的文化內蘊，以反映出藏書家不同的志向、情趣、修養、德行，甚至收藏狀況等面向。按名稱來看，約有：借典故佳義、表藏書志向、誇收藏之富、感懷先世遺澤、取藏書家的字號、標榜珍本寶笈，**22**以及表達愛書情感、

---

19 徐凌志，〈中國古代的藏書保護理念及措施〉，《江西圖書館學刊》，2006 年第 4 期，頁 58。

20 《國朝獻徵錄》，卷 78，陳繼〈蔣用文傳〉，頁 18 上。

21 清·曹襲先等，《句容縣志》（《中國方志叢書》華中 133，臺北：成文出版社有限公司，1974 年，據清乾隆 15 年修清光緒 26 年重刊本影印），卷 9，〈王暐〉，頁 29 上-32 上。

22 周少川、劉薔，〈古代私家藏書樓的構建與命名〉，《中國典籍與文化》，2000 年第 1 期，頁 40-43。

紀念宗親鄉賢、展現地理環境、闡述治學之道、披露心態品性、反映意趣愛好等數種類型。[23]綜言之，在書樓的取名上，藏書家們大多傾向注重意境和典故的結合，也是從另一個角度反映書藏書家的思想修養和特殊心態，往往可以略窺藏書的旨趣。[24]

　　透過構建書樓或另闢專室以貯放典籍，是古代藏書家們保存圖書的主要方法之一。藉由書樓或書室，確實有利於藏書的管理與保護，同時也可以滿足喜好文樓與會客之會結客的好事文人們進行雅集，爲彼等提供了一處高雅脫俗的場地，因此，廣爲明代江南藏書文士群體們接受，當然也讓明代南京的藏書家們趨之若鶩。譬如上元藏書家吳國賢，「學俸悉以市書，貯大樓。」同縣藏書家黃居中、黃虞稷父子，亦建書樓庋藏典冊。據《金陵通傳》載：

> 黃虞稷，字俞邰，江甯人。父居中，字明立，號海鶴，萬曆十三年（1585）舉人，除上海教諭，轉國子監丞，擢黃平知縣，不赴。自晉江來居金陵，家馬路街，構「千頃堂」以藏書。……虞稷七歲能詩，年未二十博洽羣書，國朝康熙中，以諸生薦博學鴻詞，廷試授檢討，纂修《明史》及《一統志》。在館十餘年，乞假歸，益務收藏，有書數萬卷。……著有《我富軒集》、《千頃堂書目》。[25]

還有同縣的藏書家姚汝循，也建樓以藏書，其書樓馳名遠近，致令許多名士深感慕之，皆願一登姚氏書樓以爲快。當時秀水縣的藏書家馮夢禎（1548-1605），便曾經因故不克前往，而遺憾地向人表示曰：「余嘗欲坐先生齋閣，恣探珍玩，而竟未之逮也。」[26]值得一提的是，明代一些經濟狀況較爲富裕的南京藏書家們，還甚至將書樓與文會之所分開，以防部份俗客玷損其珍貴藏書。例如明代中葉的上元縣藏書家羅鳳，官至知府，「乞休歸，開『延休堂』以接賓，建『芳

---

23 蘇廣利，〈我國私家書齋名稱的九大類型〉，《圖書與情報》，2002 年第 1 期，頁 54。
24 曉荷、好盧，〈中國的藏書文化與私家藏書樓〉，頁 52。
25 《金陵通傳》，卷 21，〈丁雄飛〉，頁 615-616。
26 《快雪堂集》，卷 12，〈前大名知府姚叙卿先生墓志銘〉，頁 4 下。

瀾閣』以儲書，所藏法帖名畫、金石遺刻數千種。」「芳瀾閣」爲羅氏的藏書樓，且爲了方便管理與利用，羅鳳還編輯有《金陵羅氏書目》四卷，[27]以備隨時查檢。有關明代南京藏書家的藏書樓名或藏書處所簡述，請參考附錄三，「明代南京私家藏書樓（處）簡表」。

其實，除了建書樓或闢專室以藏書外，妥善的規劃與管理，也是典藏圖書的重要步驟。例如編製目錄，便可以隨時掌握書籍的存在狀況，實爲最有利於藏書的管理與利用。而爲自家藏書編寫書目，除了方便藏書家掌握藏書種類、數量與狀況之外，有時還能透過家藏目錄與同好進行交流，便於各家藏書的流通，也爲古代的書籍與藏書史留下種種珍貴的紀錄。因此，明代南京有許多藏書家，都編有私人的藏書目錄。例如居住在上元縣藏書家丁雄飛，積書達數萬卷之多，「至所積書，有《古今書目》十卷，尤多秘本。」[28]而同縣藏書家黃虞稷，亦「著《千頃堂書目》三十二卷，自題曰：『閩人』者，不忘本也。所錄有明一代之書，最爲詳備；其史部分十八門，〈簿錄〉一門，用尤袤（1127-1194）《遂初堂書目》之例，以收錢譜、蟹錄之屬。又有《楮園雜志》、我貴軒、朝爽閣、蟬窠諸集。」[29]

另一方面，時時細心地加以繙閱、整理、補葺、保護等措施，也是貯存圖書的必要工作。例如上元藏書家盛時泰，構「蒼潤軒」以藏典籍，名士楊愼爲之記。「家多藏書，書前後副葉上必有字，或記書所從來，或紀它事，往往滿幅，印鈐惟謹。」勤鈐印記，或於書中加註記，除可強調書籍的所有權外，也可藉此機會檢閱圖書的狀況。此外，勤於閱讀也是重要的護書方法，因爲閱讀也可以讓藏書家隨時瞭解書籍的殘缺佚損，以利即時尋蒐補葺。嘉靖年間，崑山文士方鵬嘗論藏書，認爲善守者更難於善藏者。他說：

27　《千頃堂書目》，卷10，〈簿錄類〉，頁295。

28　《金陵通傳》，卷21，〈丁雄飛〉，頁615。

29　《清史列傳》，卷71，〈黃虞稷〉，頁11下。

夫古之積書也難，今之積書也易。假借難也，抄錄之費，校讐之勞，又難也。今則不然，板行日富，價甚廉，藏甚便，不亦易乎！雖然，積之非難，守之為難，讀之尤難。……是故能守之又能讀之，上也。能守之不能讀之，次也。既不能讀，又不能守，或獻諸人，或鬻諸市，或資糊壁覆瓿之用，斯為下矣！**30**

譬如黃居中棄官歸里，建書樓以藏書，名之為「千頃齋」。其後，黃虞稷將「千頃齋」的藏書增至八萬餘卷，乃擴建「千頃齋」，更名為「千頃堂」，舉凡曬書、防蟲、滅蟲、修補，成為黃虞稷日常工作的一個重要部份。除此之外，黃虞稷也非常重視閱讀、整理、輯佚與校勘藏書，而且樂此不疲。**31**誠如清初常熟藏書家錢謙益所云：

海內藏書之富，莫先于諸藩。今秦、晉、蜀、趙熠矣，周藩之竹居，寧藩之鬱儀，家藏與天府垺，今皆無尺蹏片紙矣。汳、洛、齊、楚之間，士大夫之所藏，又可知也。黃氏（黃居中父子）之書，儼然無恙，則豈非居福德之地，有神物呵護而能若是與？**32**

時人周亮工則將黃氏藏書的傳續，歸功於黃虞稷之善守。他指出：「海鶴先生（黃居中）之書，至今若魯靈光。俞邰（黃虞稷）一一考其篇目，次第籍記之，夏必暴，蠹必簡，猶時時借人藏錄，稽其同異，朝夕伏讀。」終使黃氏藏書歷久彌新，保存其家珍籍居功厥偉。

明末清初，秀水藏書家朱彝尊曾經愧嘆當時世人不知保護書籍，以至毀損

---

30 明・方鵬，《矯亭存稿・續稿》（《四庫全書存目叢書》集部 61，臺南：莊嚴文化事業有限公司，1997 年 6 月初版，據南京圖書館藏明嘉靖 14 年刻 18 年續刻本影印），卷 3，〈家藏書目序〉，頁 21 上-下。

31 毛文鰲，〈黃虞稷藏書考略〉，頁 110。

32 《牧齋有學集》，卷 26，〈黃氏千頃齋藏書記〉，頁 995。

散佚者頗多，其尤甚者，從此而不復見於人間，則更不知幾何？惟有端賴篤志藏書者善加保存維護之，才足傳之久遠。他說：

> 翻刻流傳日多，士子得書易，而怠心生。……至于士子，揣摹時文是習，坊間選本，盈屋充棟，人之意見各別，非所好者，土苴視之，或覆醬瓿，或糊蠶箔。至若京師，五方所聚，一有委棄，輒溷于糞壤，士大夫既未克珺之車塵馬足之下，而往來行子計慮所不遑及，故必藉蕭閒寂寞之人，昕夕司之，庶事不費，而收之也博。33

而明代許多的南京藏書家，恰如朱彝尊語中所云「蕭閒寂寞之人」，莫不視書如珍拱，護惜若頭目。上元藏書家張翊，家富藏書而守藏惟謹，戰戰兢兢，後來竟因憂心書籍可能毀損而卒。「一日往別墅，有自城中來者曰：『某坊火。』翊曰：『吾里也，恐燬吾書！』急馳歸，馬贏多蹶，遂得疾，果以秋卒，年二十七，墓在建業鄉張家山。」

江寧藏書家顧起元也曾經論及貯存藏書之不易，而善守先世所藏的子孫則是更加難得。他說：

> 昔人言藏書八厄，水一也，火二也，鼠三也，蠹四也，收貯失所五也，塗抹無忌六也，遭庸妄人改竄七也，為不肖子鬻賣八也。周吉甫（周暉）言：「里中謝家小兒喜聞裂書聲，乳媼日抱至書室，姿裂之，以招嘻笑。此當為藏書九厄。」乃予又聞里中故家子有分書不計部數，以為不均，每遇大部，兄弟平分，各得數冊者。有藏書不度篋笥，狼籍大米桶中，或為人踐踏者。此其厄，視梁元帝（蕭繹，508-554）、南唐黃保儀之焚毀，又何如哉！至若為庸夫作枕頭，為村店糊壁格，為市肆覆醬瓿，為婢嫗夾鞋樣，比於前厄差降一等。其它如堆積不曉披閱，收藏不解護持，

33　清·朱彝尊，《曝書亭集》（臺北：世界書局，1989 年 4 月再版），卷 67，〈南泉寺新建惜字林記〉，頁 781-782。

> 秘本悋惜不肯流傳，新刻差訛不加讐校，書之眾厄，又有未易枚舉者也。[34]

觀此，則藏書家子孫如黃虞稷等輩之善於繼志述事者，不僅是當時的一段蟫林佳話，歷數百年後至今仍膾炙人口外，也爲明代的南京私人藏書事業，樹立許多美好的典型。總而言之，古代藏書家普遍重視對藏書的修補與裝潢，往往看作是保護珍籍的一種有效措施。有時候書籍的裝潢費用，竟然還超過買書的價格，古代的藏書家於此處展現出驚人的豁達與慷慨，以換得典籍的完備與重生。[35]這種護書風氣，也正爲明代南京藏書家的一種眞實寫照。

第三節　藏書的利用

中國古代藏書家對藏書的使用，主要表現在兩個方面。首先，他們利用藏書作爲傳抄刊印的底本。其實藏書家們於徵集圖書的過程中，便已表露出對藏書的使用，亦即利用自家的藏本與別家互換有無，進行抄錄。絕大多數的藏書家，都有刻苦抄書的經驗，他們抄書的底本，有時是自己抄錄與別家換取鈔本，有時是從別的藏書家那裡直接借來抄錄的；有時是傳抄群體當中，其他成員寄來的鈔本。此外，對藏書校讎，或是進而出版，也是必須使用其他的版本參校。傳抄是藏書家們豐富自己藏書的主要手段，而校讎與刊印流通，則是推廣藏書、宣揚藏書家學術思想的主要手段。其次，古代藏書家也透過藏書來進行自己的治學活動。古代的藏書家幾乎都是學者，他們不但藏書，還利用自己的藏書進行學習與研究活動。[36]

---

34 《客座贅語》，卷 8，〈藏書〉，頁 253。

35 蕭東發、袁逸，〈中國古代藏書家的歷史貢獻〉，《圖書館理論與實踐》，1999 年第 1 期，頁 47。

36 劉長青，〈淺談我國古代藏書的使用〉，《黑龍江農墾師專學報》，2003 年第 1 期，頁 123。

　　明代的藏書家通常不是爲了藏書而藏書，大多主張藏以致用，透過閱讀藏書來提高自己或族人的修養與學識。當時有不少藏書家，還把藏書與自己的學術研究、刻書等加以結合，且進行抄錄、刻書與著書等活動，不僅使自己的藏書得到擴充，而且拓展了書籍的流通範圍。同時，藏書家們還重視對所藏圖書的研究與整理，他們或進行校刊，比較異同，補充得失；或編製目錄，以利閱覽與保存。[37]

　　由於歷代輾轉抄寫或刊刻的誤失，古書中幾乎沒有不出錯訛的，對此現象，藏書家們大多會自覺而欣然地擔負起校書糾誤的職責。他們多以自家藏書爲校勘對象，長年累月地進行著無止盡的校書工作，且樂此不疲，終老無悔。同時，他們也利用自家的藏書，以著述或彙編等形式創造出新的典籍，爲學術文化增添新的內容和新的財富，提供更多的知識積累。[38]以下即針對明代南京藏書家於私人收藏典籍的利用情形進行觀察，一一分別加以縷列說明，俾便瞭解他們是如何充份地利用所藏。

一、閱讀

　　明初，浙江崇德縣文人貝瓊（1314-1378）曾經指出，當時的金陵藏書家王舉直之所以爲自己的藏書處起名爲「勤有」，其實寓意深遠，目的在於勉勵藏書家們必須勤於閱讀或利用自己的精心收藏，如此方可謂爲真正擁有這些書籍。貝瓊說：

　　　孔子曰：「學如不及，猶恐失之。」子夏曰：「日知其所亡，月無亡其
　　　所能。」則得失之判，決於勤不勤耳！舉直之示人如此，抑病致之易而
　　　讀者輕，積之多而通者寡，其意切矣！[39]

---

37 康芬，〈明代私家藏書特點試析〉，頁64。
38 蕭東發、袁逸，〈中國古代藏書家的歷史貢獻〉，頁47-48。
39 《清江貝先生集》，卷18，〈勤有堂記〉，頁78。

如此看來，王肇直以「勤有」喻人，可以想見他自己必定是一位勤於閱讀，務求通曉的藏書家，而當時也一定有許多僅為架上觀美、附庸風雅，卻絲毫不知利用所藏的收藏者。當時浙江藏書家楊維楨（1296-1370）也認為，凡藏書必須能讀能用，藏書才有意義。他說：「夫書之能藏者不難，能讀者難；能讀者不難，能用者難也。書藏而不讀，與無書等；而不用與不讀等。張茂先（張華，232-300）藏書至世乘，而茂不善厥終；李贊華（耶律倍，899-936）載書數萬卷，亦無挾於僇身，非有書而不善讀，讀而不善用者與？代之衣冠家有積書如秘府，至再世、三世，懵與書隔甚，至售為聲伎資。吁！可悼也已。」**40**

居住於江寧縣的藏書家蔣用文，精通醫術，也喜歡藏書與讀書。據《西園聞見錄》載：

> 永樂間，以醫治歷院判。仁宗朝，贈奉議大夫、太醫院使，謚恭靖。志嗜讀書，雖老不厭，治一室于公署之傍，顏曰：「緝熙」；於家中幽屏之所，顏曰：「靜學」，皆盛貯羣籍，暇輒翫閱其中，時忘食寢。或謂曰：「子老矣！何勤益至是耶？」用文曰：「昔衛武公（姬和，前852-前758）年數九十五，猶箴儆于國，俾臣下朝夕交相告戒，乃作〈抑戒詩〉自儆，卒謚睿聖。吾雖老，幸未就木，而敢以怠荒棄厥躬哉！」**41**

蔣用文位列近幸，以醫術輔佐君王，而銳意藏書，已屬非易。至於案牘之暇，卻又不忘時時向學，居處衙署皆盛貯群籍，且欲效法古代聖賢，勤加覽閱，廢寢忘時，此則尤其難得。句容縣的藏書家王暐，家有「藏書山房」，也好讀書。「暇則手一編不置，……歸獨居一樓，謝絕一切。陳夫人饋食，置樓之城即返，不親授也。每至午夜，誦聲烺烺。」**42**王暐的閱讀習慣，至老不廢，確實善用所藏。

---

40 元・楊維楨，《東維子集》（《景印文淵閣四庫全書》集部 160，臺北：臺灣商務印書館，1986 年 3 月初版），卷 21，〈讀書堆記〉，頁 7 上-下。

41 《西園聞見錄》，卷 8，〈蔣武生〉，頁 9 下。

42 《句容縣志》，卷 9，〈王暐〉，頁 29 上。

上元縣藏書家姚福，世襲錦衣衛千戶，性好讀書，築「青溪精舍」，購書以訓子弟。學有通會，嘗評騭古人文章等第，曰：

> 六經而下，左丘明（丘明，前 502-約前 422）傳《春秋》，千萬世文章實祖於此。司馬子長（司馬遷，約前 145-前 87）為《史記》，力量過之，在漢為文中之雄。韓子（韓愈，768-824）深醇正大，在唐為文中之王。歐陽公（歐陽修，1007-1072）淵永和平，在宋為文章之宗。班孟堅（班固，32-92）祥瞻，柳柳州（柳宗元，773-819）精核，曾南豐（曾鞏，1019-1083）竣潔，王臨川（王安石，1021-1086）簡淡，蘇長公（蘇軾，1037-1101）痛快。**43**

若非學通今古，讀破萬卷，如何為此精闢之論？姚福身居武職，卻喜歡藏書，復勤於繙閱，貫穿書史，充份利用所藏，十分難得，令人不難想見其家藏書之富，其人覽閱之博，著實為明代南京藏書家當中，樹立善用家藏圖籍的典型。

藏書家必須勤於閱讀所藏的觀點，到了明末，仍為藏書界所奉為圭臬。明末浙江金華藏書家胡應麟也曾經勸人藏書必須勤讀，他說：

> 博洽必資記誦，記誦必藉詩書，然率有富於青緗，而貧於問學；勤於訪輯，而怠於鑽研者。……至家無尺楮，藉他人書史成名者甚眾。挾累世之藏而弗能讀，散為烏有者，又比比皆然，可嘆也。**44**

然而，好讀書者卻又往往不能藏書，此亦為舊時學者通病。清代蘇州藏書家黃丕烈（1763-1825）在題家藏宋板《列子》時，曾經說道：「天壤間，物莫能兩全。能讀書矣而不能藏書，故雖能讀書如抱經（盧文弨，1717-1796），而所見非宋刻，故區別釋文於張湛注外，賈逵（174-228）《姓氏英覽》用纂十二，故

---

43 《續金陵瑣事》，下卷，〈千戶論文〉，頁 242。
44 《少室山房筆叢》，卷 4，〈甲部・經籍會通四〉，頁 61-62。

二尙誤仍，釋文爲注，坐藏書不多故也。」[45]依黃氏所見，藏書多則利於辨章文義，非徒僅好讀書者所能致之，以是藏書與讀書必須兩者兼重，方可進學。

二、著述

有些明代南京的藏書家不但勤於讀書，也喜歡著述，而這也是藏書家利用所藏的一種積極表現。上元縣藏書家金紳，篤嗜藏書，而「平生儉約，一無所好，惟好讀書。自號心雪，所著有《心雪稿》干卷。」[46]他不但喜歡讀書，也利用藏書進行撰述。同縣的藏書家張翊，也喜歡利用所藏從事著作，除補古人撰著之不足外，或是引據古人的典謨訓誥，用爲當世的參考或警惕。據《金陵通傳》的記載，他：

> 嘗謂蘇伯修（蘇天爵，1294-1352）《元名臣事略》多缺，作《元名臣言行錄》四卷。又采《宋史》臨莫大臣之禮爲一編，曰：《臨莫錄》，言大臣宜厚也。又有《豎鑒錄》，爲璫竪而作。[47]

又同縣藏書家徐霖，也是酷嗜讀書，發爲著作，至與身等。「以系出松，自號九峰道人，或稱爲快園叟；或羨其美鬚髯，又呼爲髯仙。老貌豐潤，行步似飛，雖寒暑劬書不倦。」[48]除了讀書，亦「多能藝事，書畫之外，工塡南北曲」，[49]「著有《儷藻堂稿》、《端居咏》、《遠遊記》、《北行稿》、《皖湘錄》、《古杭清遊稿》、《快園詩文類選》、《中原音韻注釋》、《續書史會要》、《南京志》。」[50]徐霖爲明代南京文士之風流典範，其著作之多與藏書之富，

45　清・黃丕烈，《士禮居藏書題跋記》（臺北：國家圖書書館藏民國 6 年上海醫學書局影印本），卷 4，〈列子八卷〉，頁 55 上。

46　《國朝獻徵錄》，卷 49，〈又傳〉，頁 8 上。

47　《金陵通傳》，卷 16，〈張翊〉，頁 446。

48　《明分省人物考》，卷 13，〈南直隸應天府三〉，頁 318。

49　《靜志居詩話》，卷 11，頁 113。

50　《金陵通傳》，卷 14，〈徐霖〉，頁 408。

並為一時盛事。

江寧縣藏書家司馬泰，「藏書極富，編次《文獻彙編》百餘卷、《廣說郛》八十卷、《古今彙說》六十卷、再續、三續、《百川學海》一百一十卷。所撰有：《蔭白堂稿》、《雜識》、《史流一品》、《明文獻錄》、《西虹視履百錄》、《知次錄》、《山居百咏》、《南都英華錄》、《南都野記》、《龍廣山人小令》諸集」，[51]觀其著作之多，與藏書之富，也是一位充份利用所藏進行著述的藏書家。上元縣藏書家盛時泰，家多藏書，如同司馬泰一般，也是一位多產的藏書家，終其一生，「著有《大城山人集》、《玄牘記》、遊吳、遊燕雜記、《金陵泉志》、《方山香茅宇記》、《大城山志》、《祈澤寺志》、《栖霞小志》、《牛首山八志》」[52]等書。

有明一代，上元縣不但出現最多的藏書家，同時也聚集了最多喜歡利用家藏圖籍從事撰作的藏書家。除前述諸人以外，尚有明末上元縣的知名藏書家焦竑，也是一位同時喜歡讀書與著書的藏書家，十分善於利用所藏。據《列朝詩集小傳》記載：

> 竑，字弱侯，南京人。為舉子二十餘年，博極群書，束脩講德，巍然負通人之望。萬曆己丑（17年），舉進士，廷試第一人，除翰林修撰，選擇為東宮講官，……是時睿齡才十三，聰明日啓，弱侯之功為多。太倉（王錫爵，1534-1614）謂元子沖齡，典學當引誘以圖史故事，弱侯遂采輯成書，繪圖演義，名曰：《養正圖解》。……以文體調外任。自是屏居里中，專事著述，李卓吾（李贄，1527-1602）、陳季立（陳第，1541-1617）不遠數千里相就問學，淵博演迤，為東南儒者之宗。[53]

由此可知，焦竑於東宮侍講時，即已採輯群書，親自撰成著述以為太子教材。

---

51 《金陵通傳》，卷14，〈司馬泰〉，頁399。

52 《金陵通傳》，卷14，〈盛時泰〉，頁413-415。

53 《列朝詩集小傳》，不注卷數，〈焦修撰竑〉，頁663。

即便棄官里居，仍樂於專事著述，竟至名震東南，一時名賢問學者競赴其門，爲儒者宗。對此，時人曾經稱讚云：「竑學問該博，于書無所不窺，著述甚富，並行于世。」[54]

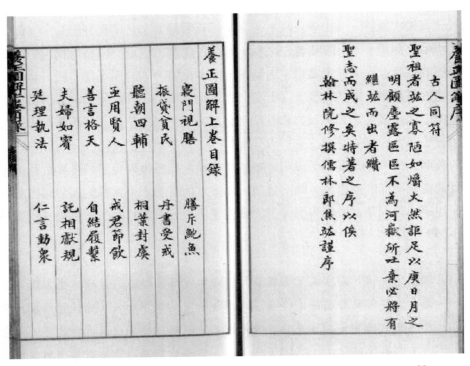

圖十三：故宮博物院藏焦竑《養正圖解》，清嘉慶間阮元進呈鈔本。[55]

54　明・張弘道，《皇明三元考》（《明代傳記叢刊》19，臺北：明文書局，1991 年 10 月初版），卷 13，〈狀元焦竑〉，頁 21 上。

55　圖片轉引自：明・焦竑，《養正圖解》，「數位典藏與數位學習聯合目錄」，檢索於 2014 年 6 月 3 日，http://catalog.digitalarchives.tw/item/00/12/63/0b.html。

三、抄書與校讎

　　明代南京的藏書家們利用藏書的另一種重要方式，即是表現在抄書與校讎兩方面。一般而言，抄書的目的可為誦讀記憶之輔助，也可為複製書籍。而另一方面，文士們在抄書時，對於字體的美惡與正確性，也大多相當注重，其關鍵主要在於抄書者的學術水準，是否可以在抄寫時發現錯誤並加以訂正，來決定抄本的好壞。[56]所以，有時抄書者也會一邊抄書，一邊選擇優良的版本作為參照依據，用來進行校讎工作，希望能夠留下善本，成為自己的家藏。如此一來，不但使得許多孤本秘笈得以重見於世，也對古代典籍的正本清源與糾繆勘誤，作出許多偉大的貢獻。

　　成化、正德年間，江寧縣藏書家梅純喜好藏書，「生平嗜學不厭，見奇書，嘗解衣購之。」「所藏書皆手自抄校，時崔公銑為封部郎，閔其勞，送一掾吏代之，不受。」梅純嗜抄書，親力而為，且邊抄邊校，為藏書進行勘誤工作，至不令人代抄。可能的原因是抄書本來就是自己的癖好，毋需他人代勞；或是擔心抄手水平不足，經其抄校，恐將誤書，也會降低家藏的品質。

---

56 陳冠至，〈明代江南士人的抄書生活〉，《國家圖書館館刊》，第 98 卷第 1 期，2009 年 6 月，頁 121。

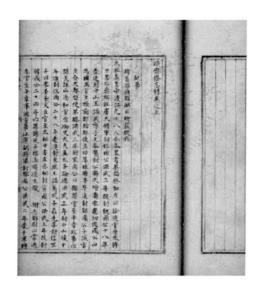

圖十四：故宮博物院藏梅純《損齋備忘錄》，明鈔本。[57]

　　到了明末，居住上元縣的藏書家焦竑，也喜歡抄書與校讎。「為諸生以迨上公車、如詞林，無日不蒐獵于古人之載籍，聞有異本秘冊，必為購寫。又日與海內名流討析微言，訂正謬誤。」[58]當時山陰縣藏書家祁承㸁也曾經說道：「若金陵之焦太史弱侯（焦竑），藏書兩樓，五楹俱滿，余所目睹。而一一皆經校讎探討，尤人所難。」[59]可見焦竑除了前述喜好閱讀與著述外，也喜歡抄書與校讎，確為明代南京藏書家的優良典範。他曾經利用家中典藏的善本，糾舉出時下《文獻通考》內著錄《稽神錄》一書的錯誤，他說：

57　圖片轉引自：明・梅純，《損齋備忘錄》，「數位典藏與數位學習聯合目錄」，檢索於2014 年 6 月 3 日，http://catalog.digitalarchives.tw/item/00/30/e9/72.html。

58　《澹園集》，附編 2，陳懿典〈尊師澹園先生集序〉，頁 1214。

59　《澹生堂藏書約》，〈藏書訓略・購書〉，頁 18 上。

馬端臨《通考》云：「原作十卷，今無卷第，總作一卷。」又言：「自
乙未至乙卯二十年，僅得百五十事。」今卷中凡百九十三事，則端臨未
見其全書故耳。余舊藏宋本，恐其久而泯泯，語同好者傳之。**60**

此外，焦竑還認爲抄本的重要性更勝於刻本，特別是在眞實地傳承古人精神或
文化層面上，舊抄本的作用不容忽視。明末松江府華亭縣藏書家陳繼儒
（1558-1639）也認爲：「抄本書如古帖，不必全帙，皆是斷璧殘珪。」**61**因爲
在雕版印刷術發明和流行之前，典籍或文獻全賴手寫，所以古抄本才是眞正貼
近古人，才能眞實紀錄古人的原意。焦竑復云：

> 漢以來，六經多刻之石，如「蔡邕石經」、「嵇康石經」、「邯鄲淳三
> 字石經」，「裴頠刻石寫經」是也。其人間流傳，惟有寫本。唐末益州，
> 始有墨板，多術數、字學小書而已。蜀毋昭裔，請刻板印九經，蜀主從
> 之，自是始用木板摹刻六經。景德中，又摹印司馬、班、范諸史與六經，
> 皆傳世之寫本漸少。然墨本訛駮，初不是正，而學者無他本刊驗，司馬、
> 班、范三史，尤多脫亂，其後不復有古本可證，眞一恨事也。**62**

對於抄書的作用，焦竑認爲在中國圖書史上，抄本比刻本通行更早，實爲文獻
之源始。此誠如明中葉松江縣藏書家陸深所云：

> 古書多重手抄，東坡（蘇軾）於〈李氏山房記〉之甚辨。比見石林（葉
> 夢得）一說，云：「唐以前凡書籍皆寫本，未有模印之法，人不多有；
> 而藏者精於讎對，故往往有善本。學者以傳錄之艱，故其誦讀亦精詳。
> 五代時，馮道（882-954）始奏請官鏤板印行。國朝淳化中，復以《史記》、

---

60 明・焦竑，《焦氏澹園集》（《四庫禁燬書叢刊》集部 61，北京：北京出版社，2000 年
　　1 月初版，據中國科學院圖書館藏明萬曆 34 年刻本影印），卷 9，〈題稽神錄〉，頁 16 下。

61 《岩棲幽事》，頁 14 下。

62 《焦氏筆乘正續》，續集卷 3，〈板本之始〉，頁 208。

前後漢付有司摹印，自是書籍刊鏤者亦多，士大夫不復以藏書為意。學
者易於得書，其誦讀亦因減裂。然板本初不是正，不無訛謬，世既一以
板本為正，而藏本日亡，其訛謬者遂不可正，甚可惜也！」[63]

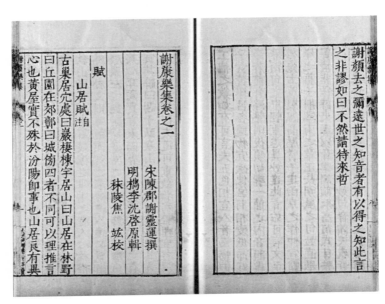

圖十五：故宮博物院藏焦竑所校《謝康樂集》，明萬曆 11 年（1583）謝氏刊本。[64]

稍後，華亭縣藏書家何良俊也說：「書籍傳刻，易至訛舛，亦有經不知事之人
妄意改竄者。」[65]綜上兩家之言，即指雕版印刷術的流行，不斷地翻刻使得書
籍的品質良莠不齊，凡一板誤刻，以後即訛謬相襲，全因沒有舊抄本可資對照，
才會積非成是，貽誤世人。所以，在焦竑的眼裡，古抄本的價值實際上遠高於
刻本。他又舉古代賢士為例，說明抄書與校讎對藏書的重要性，曰：

63　《儼山外集》，卷8，〈金臺紀聞下〉，頁6上-下。

64　圖片轉引自：南朝宋・謝靈運，《謝康樂集》，「數位典藏與數位學習聯合目錄」，檢
　　索於 2014 年 6 月 3 日，http://catalog.digitalarchives.tw/item/00/12/5f/fe.html。

65　《四友齋叢說》，卷36，〈考文〉，頁326。

五代諸君，惟南唐與蜀最嫺文學，宋初取天下典籍藏之內府，獨二國多
善本以此。江南徐鍇（920-974），字楚金，少精小學，處集賢，朱黃不
去手，非暮不出，所讐書尤審諦，所著有《說文解字》。[66]蜀相王鍇，
名同楚金，字鱣祥，藏書數千卷，一一皆親札，并寫藏經。每趨朝，於
白藤擔子內寫書，書法精謹。二人風尚，相似如此。[67]

焦竑藏書，本是爲了讀書治學，而非附庸風雅。於是他堅持藏用結合，致使其
家所藏，多與本身興趣與治學需要有關。此外，他還常將藏書與學者們共享，
務求充份利用。焦竑的藏書習慣，不僅自己受益匪淺，並且豐富了本身的目錄
學和考據學思想，以至促成他在史學方面編纂、歷史考辨等思想的成熟，甚至
對整個晚明的學術思想界，產生了深遠的影響。[68]

　　歷代的藏書家，幾乎都有從人借抄的經驗。借抄是古代聚書的主要方法，
也是私藏利用的一種表現，很多藏書家也都願意將自家所藏與人互通有無。通
過許多人的輾轉傳抄，一本書不僅可以化作千百，而且可以跨越時空的阻隔到
處傳播。另一方面，藏書家的刻書，應該說是古代中國的一個特色和傳統，對
於歷代典籍的延續與傳播，有著不可忽視的作用。許多明代南京的藏書家，爲
了增加收藏和傳播典籍文化，往往都是透過抄錄和編纂書籍的方式，來進行流
通的。而珍刻佳槧，則更有賴於良好的底本，嚴格的校讐成爲維持藏書品質，
以及提供佳善底本的主要方法。所以，藏書家們往往必須埋首故紙堆中，不計
昏天暗地，耗費數年的時光，轉化爲對典籍負責的一種專業態度。[69]

---

66 按徐鍇所著，應是《說文解字繫傳》，此誤。

67 《焦氏筆乘正續》，續集卷4，〈藏書〉，頁224。

68 龍曉英，〈論焦竑對文獻保存所作的貢獻〉，《傳奇·傳記文學選刊》，2011年第2期，
頁95-96。

69 鄧宏峰，〈中國古代藏書家保存與傳播文化典籍的貢獻〉，《安陽工學院學報》，2010
年第3期，頁36-37。

第四節　藏書的流通

明代南京藏書家們的日常活動內涵十分豐富，除了時下一般江南文士的生活癖好以外，爲了流通典籍與提升個人的專業知識，他們大多也重視同好之間的社群交際，藉以互通有無。由於共同的愛好和居住地的相對集中，促使明代南京藏書家們喜歡相互往來，甚至舉辦文會或進而結成盟社。結社，本是明代中後期讀書人的一種雅好，反映在藏書家社群之間，就變成具主題性的「抄書社」、「讀書社」……等社團。而社中成員之間，透過盟會網絡的連結，彼此互易傳抄珍本秘籍，各取所需。[70]

一、借觀、借抄與刻書

有些藏書家透過抄書來獲得所缺圖籍，提高藏書的質量，是古代流通藏書的主要方式之一。洪武年間，南京藏書家徐昱喜歡抄書，「搆『怡晚樓』，得異書手自鈔，年九十不倦。」[71]徐昱透過借抄的方式，來蒐羅一些珍本秘槧，用以充作自家典藏，使得古代的一些罕見圖籍，因此而獲得流通的機會。同時，上元縣藏書家李詠，也喜歡抄書。如同徐昱，「惟日以圖史資撿閱，得昔人詩文未刊者，必手自抄訂」，成爲家藏之重要部份。江寧藏書家蔣用文亦癖嗜抄書，「喜爲詩文，遇名賢所製，率自抄錄，蓋雖老，學問不倦。」蔣用文癖嗜抄錄名賢詩文，終其一生，累積不少珍貴典藏，爲保存與流通古代的文學作品，發揮許多重要的歷史作用。

有些藏書家，則不吝將家藏借人觀賞或抄錄。上元縣的藏書家羅鳳，建「芳瀾閣」以藏書，晚年則更喜抄書。傳至其玄孫羅燾，仍不惜將家藏借予他人觀賞。例如同縣藏書家盛時泰，便曾經前往羅家觀賞，盛時泰記曰：「吾鄉印岡太守（羅鳳）藏金石甲都城，元孫原溥（羅燾）許借觀之。」而盛時泰也是一

70　王國強，〈中國古代藏書的文化意蘊〉，頁 23。

71　《開有益齋讀書志》，卷 2，〈帝里明代人文略〉，頁 79-80。

位懷抱寬大胸襟的藏書家，可依據嘉、萬時期的江寧縣藏書家顧起元之所稱，
確知如此。顧起元說道：

> 盛仲交（盛時泰）貢士家有陳中丞（陳鎬，？-1511）《（金陵）人物志》
> 抄本，余從其子敏耕伯年文學得之。[72]

顧起元為明末南京地區相當知名的文士與藏書家，不但與許多其他的藏書家們
進行借觀、借抄等密切的書籍流通，還有志將已經散佚的《金陵人物志》輯錄
成完帙，再經校讎後刻印流通，他說：

> 陳中丞為此書，歷有歲時，脫稿沒後歸羅太守（羅鳳）。余妻姑丈司馬
> 憲副屢借之不得，最後於陳中丞子求得草本錄之。余又借司馬家本錄二
> 冊，寄玉泉師於豫章。昨玉泉師以母夫人制家居，余又復借錄本抄之，
> 以藏於家。余以見里中故物，恐倉卒中難得爾。何時有力正其譌誤，并
> 《金陵世紀》刊之，以傳布四方邪？[73]

綜上所述，《金陵人物志》乃明中末葉時陳鎬所撰，惜未及付梓，陳鎬即謝世，
而完稿歸於羅鳳，草稿則仍留在陳鎬家中，當時世間僅此二本而已。顧起元本
是一位十分重視收藏鄉梓文獻的藏書家，於是先從其妻之姑丈家抄得陳鎬家藏
之草稿本二冊，並隨即寄往江西南昌其師處，後來再從其師處抄回，作為自家
典藏。而羅鳳的玄孫羅濤，又將羅家所藏之完稿本借給顧起元觀覽，於是顧起
元希望將來有人能夠合二本以進行讎校，待修正成為善本後，再併入《金陵世
紀》一書刻印傳世，流通於人間。

　　居住上元縣的藏書家焦竑，也喜歡向人借觀圖書。他與浙江嘉興縣知名文
人沈德符（1578-1642）的祖父私交甚深，沈德符每回憶幼年時代，當時焦竑未

72　《客座贅語》，卷 6，〈金陵人物志〉，頁 199。
73　《客座贅語》，卷 6，〈金陵人物志〉，頁 199。

第，經常到他家裡借觀書籍。沈德符敘云：「焦久困公車，每歲必至吾家，留浹月，借觀書籍。時焦貧寠，至手自節錄；或遇巨函，則大父撤以貽之。先人少于焦十四年，而早登第，然每兄事之。」[74]依沈氏所云，則古人借書予友人觀覽，若因道遠，往往還得提供住宿，足見古人之重交游與典籍流通，可當今人之效法者多矣！此外，焦竑也曾利用宦途借觀外地藏書家的藏書。焦竑憶云：

> 曩使中州，過西亭中尉（朱睦㮮，1517-1586）之家，觀其藏書甚富，而經術居其強半。竊歎今世士大夫摛詞流詠，殆不乏人，而學知所重，如西亭者，寧復幾人？[75]

焦竑除了借觀他人所藏外，也曾借書予他人，並且懷抱刻印善本以正是學、以廣流傳之志。他自述云：

> 舊藏《伽藍記》寫本五卷。……新安吳氏以刻之《逸史》中，初本遂不見還。刻本通未校讐，訛舛至不可讀。頃得宋本，躬為刊定，如此古書為後人所亂類此者不少。僕近刻《九經刊誤》、《陶靖節集》，壹據宋本正之，實秋林之一快。何時併傳是本與好之者共之耶？[76]

焦竑借書與人刊行，本是流通美事，不料該書竟未見還，且新刻未經善校，即遽行付梓刻印，錯誤百出至不可讀，反而成為憾事。

有鑑於此，焦竑極欲憑藉後來所得之宋本進行校讎，並重刊之。事實上，焦竑的確也曾刻印了不少佳本行世，除前述《九經刊誤》、《陶靖節集》外，

---

74 明・沈德符，《萬曆野獲編》（《元明史料筆記叢刊》，北京：中華書局，1997 年 11 月第 1 版第 3 刷），卷 14，〈師弟相得〉，頁 377。

75 《澹園集》，續集卷 5，〈答朱鬱儀〉，頁 864。

76 《焦氏澹園集》，卷 9，〈書洛陽伽藍記後〉，頁 13 下-14 上。

亦「嘗刻古本《易經》、《書經》、《孝經》、《大學》」[77]等書。另一方面，當時也有人向焦竑乞贈圖書。浙江秀水縣藏書家馮夢禎，便曾經向焦竑索書，馮夢禎於信中云：

> 昨從楊止菴（楊時喬，1531-1609）論議，渠甚留心經學及六書，因知門下《筆乘》中所論轉注義，又在升菴太史（楊慎，1488-1559）之上。如架頭有複本，敢乞一部。昨荷枉教，并謝。[78]

《焦氏筆乘》乃焦竑所作，且已為門人金陵謝與棟校刻行世，故馮夢禎此信，目的即是向作者焦竑要求贈書。而與焦竑同縣的藏書家吳國賢，也喜歡流通藏書。考其藏書之目的，乃為教學，「受業四十餘人，學俸悉以市書，貯大樓，任弟子取讀；以餘錢給膏火不繼者。」也成為明代南京藏書家流通圖書的一類典型。

---

77 清・王弘撰，《山志》（《元明史料筆記叢刊》，北京：中華書局，1999 年 9 月第 1 版），
　　2 集卷 3，〈胡濛溪野談〉，頁 207。
78 《快雪堂集》，卷 37，〈與焦弱侯太史〉，頁 16 下。

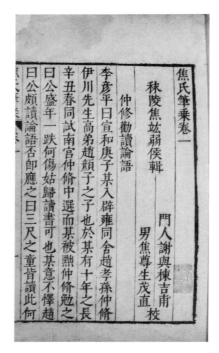

圖十六：國家圖書館藏焦竑《焦氏筆乘》，明萬曆 34 年（1606）謝與棟刊本。[79]

　　明清鼎革之際，江南烽煙漫天，此時南京藏書家襟懷開明，樂於借書與人
共賞者，仍然時有所聞。例如浙江餘姚縣藏書家黃宗羲（1610-1695），因與上
元縣藏書家黃居中同宗，兩人又爲同社友，所以曾經光臨「千頃堂」，借讀黃
居中藏書。黃宗羲嘗憶云：

　　　　黃居中，字明立，居金陵之蘆發巷。庚午（崇禎 3 年，1630），何匡菽
　　　　（何喬遠，1558-1632）舉詩社，余與明立無會不與。辛巳（崇禎 14 年，

1641），明立七旬，余以宗人共坐一席。明立「千頃齋」藏書甚富，余
至金陵，必借讀之。**80**

明亡之後，「千頃堂」主人改傳至黃居中仲子黃虞稷。黃虞稷謹守父親畢生所
藏，身逢世亂，雖歷明亡而藏書未見散逸，反而更增益之，家藏高達八萬卷之
多，名震東南，一時文學名士之赴金陵者，莫不想往其家觀書。而黃虞稷也一
如其父，喜歡和別人分享家中藏書，十分樂於出示給他人賞閱。當時常熟縣的
大藏書家錢謙益，也曾是黃氏「千頃堂」的座上賓，錢謙益記曰：

> 戊子（順治 5 年，1648）之秋，余頌繫金陵。方有采詩之役，從人借書。
> 林古度（1580-1666）曰：「晉江黃明立先生（黃居中）之仲子（黃虞稷），
> 守其父書甚富，賢而有文，盍假諸？」余于是從仲子借書，得盡閱本朝
> 詩文之未見者，于是嘆仲子之賢，而幸明立之有後也。**81**

錢謙益家有「絳雲樓」，向以藏書之富誇耀世人，睥睨蘇州蟬林。他曾經發出
豪語，說道：「今吳中一二藏書家，零星捃拾，不足當吾家一毛片羽！」**82**所
以，能夠得到如此自負之人的讚許，道出「得盡閱本朝詩文之未見者，于是嘆
仲子之賢」等話語，可謂相當難能可貴，同時亦足見明代南京藏書家的典藏實
力，可為江南之冠。
　　知名文士除黃宗羲、錢謙益外，浙江崇德縣藏書家呂留良，也曾親往「千
頃堂」，借抄書籍二十餘種。呂留良自稱：

> 自來喜讀宋人書，爬羅繕買，積有卷帙。……至金陵見黃俞邰（黃虞稷）、
> 周雪客（周在浚）二兄藏書，欣然借抄，得未曾有者幾二十家，行吟坐

---

80 明・黃宗羲，《思舊錄》（《清代傳記叢刊》26，臺北：明文書局，1985 年 5 月初版），
　　卷 1，〈黃居中〉，頁 21 上-下。

81 《牧齋有學集》，卷 26，〈黃氏千頃齋藏書記〉，頁 994。

82 《牧齋有學集》，卷 46，〈書舊藏宋雕兩漢書後〉，頁 1529。

校，遂至忘歸。憶出門時柳始作綿，今又衰黃矣！[83]

事實上，呂留良與南京藏書家黃虞稷、周在浚等輩通為書友，三人間以書事過
往甚密。呂留良曾經寫信給黃虞稷，信中所論書事甚多，同志之情，溢於言表。
信中道：

> 不見顏色有年餘矣！村莊灌植之暇，亦時繙舊書，拂几開卷，未嘗不憶
> 我俞邰也。世間知書人有幾？讀書人有幾？惜書人有幾？六陰畫盡，微
> 陽不滅，正賴此耳，非結習癡癖之謂也。得手札知近履安勝，不減探討
> 較讐之樂，甚慰！甚慰！……前所寄拙稿乃舊刻，非新作也。小題今始
> 印，就以一冊送正。……所借書，郵寄恐遺失誤，謹收貯，俟他日政呈
> 弟書，知為愛護，不煩囑也。昨雪客來，云《劉雲莊集》二本為程子介
> 所浮沉。度子介為吾兄所厚，不應有此憾事，況此係弟借兄委，不可不
> 力索還之。知兄惜書之心，在彼猶在此也。[84]

呂留良也曾經代黃虞稷，向同縣的藏書家吳之振（1640-1717）借錄家藏目錄。
當時，呂留良寫信給吳之振，曰：「宋、元集及經學書目，乞錄一紙來，黃俞
邰欲看也。」[85]綜上所述，可知呂留良不但曾經贈書給黃虞稷，而兩家之間，
也互借所藏，甚至還引借給他人或代借自他人，流通十分密集頻繁。

　　此外，山東新城縣的藏書家王士禛（1634-1711），也是黃氏「千頃堂」的
常客。王士禛曾說：「金陵黃俞邰（黃虞稷），徐都憲元文疏薦，以諸生召入
明史館，食七品俸，予時向之借書。」[86]他更進一步地指出：

83　《呂晚邨文集》，卷 1，〈答張菊人書〉，頁 31 上-32 上。

84　《呂晚邨文集》，卷 3，〈與黃俞邰書〉，頁 4 上-下。

85　《呂晚邨文集》，卷 3，〈復吳孟舉書〉，頁 24 下。

86　清‧秦瀛，《己未詞科錄》（《清代傳記叢刊》14，臺北：明文書局，1985 年 5 月初版），
　　　卷 4，〈黃虞稷〉，頁 14 上。

嘗見金陵黃俞邰虞稷《徵刻唐宋元書目》所載，有金趙秉文《滏水集》二十卷，元郝經《陵川集》三十九卷。癸亥（康熙 22 年，1683），俞邰以徐都憲立齋元文疏薦入明史館，予時向之借書。所見如《李觀集》、司空圖（837-908）《一鳴集》、沈亞之（781-832）《下賢集》、柳開（948-1001）《河東集》、王令（1032-1059）《廣陵集》、牟巘（1227-1311）《陵陽集》、李之儀（1035-1117）《姑溪集》、耶律楚材（1190-1244）《湛然居士集》，皆目所未載者。[87]

觀此，黃虞稷「千頃堂」藏書之富，可見一斑。而與黃虞稷同縣的藏書家丁雄飛，兩家之間的藏書流通，可謂明代南京藏書家之間流通藏書的最高潮。前文已述，兩人立「古歡社」，約定藏書互通，共相考訂，茲不贅。除此之外，丁雄飛也不吝借書與他人觀賞。例如他與長洲縣文人陳濟生交情匪淺，於是經常將家中秘藏，託人帶給陳濟生覽閱。陳濟生曾經述及丁雄飛「尤篤好書籍，有亭在烏龍潭上，名曰：『心太平菴』，其書充棟，終日較讐。而時出其枕中之藏，附書賈際余。」[88]

　　總之，歷代幾乎所有的藏書家都借抄過書，他們或抄自官藏，或借自私家，或親自手抄，或倩人代勞，莫不孜孜以求。借抄的目的，或許最初僅為豐富和增加自己的藏書。然而，成百上千的藏書家們經年累月的抄寫，宛如開動一架永不停歇的印刷機，為中國古代源源不斷地生產出無數的複本書。抄書可謂極大地豐富了民間的私藏，也增加了中國古代典籍的抗災避禍能力，分散許多風險，使得許多珍槧秘刻即便在散佚絕跡之後，仍可仰賴抄本書而再續流傳。[89]

87　清・王士禎，《池北偶談》（《清代史料筆記叢刊》，北京：中華書局，1997 年 12 月初版湖北 3 刷），卷 16，〈談藝六・宋元人集目〉，頁 386-387。

88　《啟禎兩朝遺詩小傳》，不注卷數，〈丁衢州・附子雄飛〉，頁 197-198。

89　蕭東發、袁逸，〈中國古代藏書家的歷史貢獻〉，頁 46。

二、賞鑒與文會社集

鑒賞圖書，是讀書、藏書和玩書人共同感興趣的事。在古代，就有鑒賞圖書的標準，當時稱之爲「書品」。[90]明人沈德符嘗舉一例，曰：「近日一友亦名家子，爲骨董巨擘。曾蓄一宋刻《新唐書》，索價甚高，云此眞宋初刻板也，坐客皆諛之以爲然。予適同集，繙一紙視之，偶見誠字缺一筆。予曰：『此南宋將亡時板也。』此友起而辯之，予曰：『誠字爲理宗舊名，若此史刻於初盛時，何以預知二百年後御名而減筆諱之也？』雖無以應予，而意色甚惡。今之鬻古者，大抵然矣。」[91]以上所云，即爲明代賞鑒圖書者間，一段進行文會社集的眞實情況。透過這類的賞鑒文會，往往可以精進各藏書家鑑別眞僞的知識與能力，也可使當時通行於市場上的一些僞書贗品無所遁形，終不致以假亂眞，貽誤同好。

前文嘗論，南京爲明代數一數二的圖書集散市場，當時天下的藏書家，莫不競奔於此。加上明人的「好古」與「尚奇」情懷，使得古籍市場供不應求，不肖商人爲謀奸利，紛紛作僞以應市場所需，往往可以獲得十分可觀的利潤。所以，南京既爲全國首要的書市，當然也就成爲全國僞書贗品的主要供應地，市面上充斥著琳瑯滿目的僞造古籍，眞假莫辨。明代浙江嘉興縣的藏書家李日華（1565-1635）曾經記曰：

> （夏）賈從金陵來，云近日書畫道斷，賣者不賣，買者不買。蓋由作僞者多，受紿者不少，相戒吹齏，不復敢入頭此中耳。[92]

可見當時南京書籍市場貨品的紊亂無章，由於眞假難分，竟使得市場的貿易一度因而中止，無法正常運作。所以，要在南京購得眞品，必須仰賴藏書家們的

90　《圖書收藏及鑒賞》，頁 339。

91　《萬曆野獲編》，卷 26，〈雲南雕漆〉，頁 662。

92　明・李日華，《味水軒日記》（上海：上海遠東出版社，1996 年 12 月第 1 版），卷 4，頁 283。

慧眼獨具，明辨瑕瑜，才不致爲奸商所紿，以至收藏到僞書而毫不自覺。

圖十七：故宮博物院藏杜堇《玩古圖》。[93]

　　明代文士的文會活動實承自前代，打從明初伊始，在江南地區，即已見於史料記載。譬如蘇州府崑山縣的藏書家顧阿瑛（1310-1369），首創「玉山風」式的文會生活類型，[94]經常與各界知名文士或收藏家們群聚共賞文物，鑒別考證眞僞。考諸《續吳先賢讚》載云：

93　圖片轉引自：明・杜堇，《玩古圖》，「數位典藏與數位學習聯合目錄」，檢索於 2014
　　年 6 月 3 日，http://catalog.digitalarchives.tw/item/00/10/8d/68.html。
94　顧阿瑛所創的文會生活方式，今學者稱為「玉山風」，影響蘇州往後文人生活類型甚深，
　　見嚴迪昌，〈「市隱」心態與吳中明清文化世族〉，《蘇州大學學報》哲學社會科學版，
　　1991 年第 1 期，頁 89；另見嚴迪昌，〈文化氏族與吳中文苑〉，《文史知識》，1990
　　年第 11 期，頁 14。

顧仲英（阿瑛）者，崑山人。少為輕俠，通賓客，豪於郡邑。三十始折
節讀書，家故饒財，益購古圖籍彝器，既吳人嗜好，多以贗往，英自謂
能辨瑜瑕，風起，然不能不寄耳目談者。鑒益精，則益工為偽，遂堅不
可破，流至今。[95]

　　蘇州自南唐以降，士民風俗即已普遍崇尚收藏文物或古董，然因供不應求，作
偽之風甚熾，入明之後，仍是如此。於是明代蘇州的收藏家們為了避免受騙上
當，紛紛鑽研賞鑒之道，冀能減低文物市場的作偽之害。但僅憑一己之力，於
學識、資訊等條件上都相當有限，最好能廣徵各方見解，方可明察秋毫。而文
人學識飽滿，閱歷豐富，較為通古；收藏家們往往也都是文人，遂進一步地相
互結合，成為一種文人與文人間的社群生活模式，且是以鑒賞各家所藏珍品為
文會主題。蓋有明一代，吳人之文會過從，品騭今古，鑒別真偽之風，當首開
於顧阿瑛。[96]而這種賞鑒式的文會風格，也自明代初年開始，便迅速傳佈到江
南各地，文士們紛紛群起仿傚，且一直流行到明末仍未稍減。例如明末嘉興收
藏家郁逢慶也曾經表示：「余生長江南，幸值太平之日，游諸名公間，每出法
書、名畫，燕閒清晝，共相激賞。」[97]

　　金陵曾為南唐國都，據說中國古代江南收藏文物的風氣即衍生於此，所以
收藏文物的風氣，理論上當更勝於蘇州。尤其是明代建立以後，當時南京仍保
存著南唐古蹟「『澄心堂』，南唐李後主（李煜，937-978）藏書籍、會文士、
撰述之所。」[98]可見明初南京文物收藏的社會背景，儼然已經具備著十分良好
的先天文化條件。加上南京為明代江南重要的文物市場，作偽之風想必絕不下

95 明‧劉鳳，《續吳先賢讚》（《四庫全書存目叢書》史部 95，臺南：莊嚴文化事業有限
　　公司，1996 年 8 月初版，據中國科學院藏明萬曆刻本影印），卷 8，〈顧仲英〉，頁 13。
96 《明代的蘇州藏書－藏書家的藏書活動與藏書生活》，頁 6。
97 明‧郁逢慶，《書畫題跋記》（《景印文淵閣四庫全書》子部 816，臺北：臺灣商務印
　　書館，1986 年 3 月初版），書前，〈汪森序〉，頁 1 上。
98 明‧閭人詮等，《南畿志》（《北京圖書館古籍珍本叢刊》24，北京：書目文獻出版社，
　　不注出版年，據明嘉靖刻本影印），卷五，〈古蹟〉，頁 31 上。

於蘇州。加上南京先爲明初首都，繼而爲陪都，爲江南科舉考試的中心，四方文人墨客輻湊雲集，書估與行家也蜂擁而至。因此，明代南京的藏書家們，很快地也沾染了蘇州文會之習氣，賞鑒之風廣爲流行。

上元縣藏書家羅鳳的玄孫羅燾，累世藏書，承先世舊藏，經眼無數，「與姚涮元白、嚴賓子寅，俱精鑒賞。」[99]同縣的藏書家焦竑，「積書數萬卷，覽之畧遍。金陵人士輻輳之地，先生主持壇坫，如水赴壑」，請益問學，不絕於道。車履盈門，賓朋滿座，詩文染翰，高會竟日。曾招請湖廣公安縣知名學者袁中道至其家共相賞鑒，席間論及書籍，袁中道曰：「宋元諸名家集，亦多有不存者。」焦竑曰：「宋元之書，散見于世，不可以不見便謂不存。」[100]兩人即透過文會，相互交流古籍知識。而嘉興府藏書家郁伯承，也曾到過焦氏園林進行文會，並且留下書籍供焦竑覽閱。據嘉興縣藏書家李日華所記，曰：

> 招伯承夜坐。伯承云於金陵曲巷購得宋《張安道文集》抄本，今留焦漪園（焦竑）先生處；又有人以宋板《石徂徠集》來售，以價昂未就。伯承好古，酷嗜奇隱。張氏所梓《眉公秘笈》，大半都其書也。[101]

所以，在焦竑的文會當中，往往可以借得書籍；而與會者亦不限文士而已，有時也包括一些書估在內。他們透過文會，共同品隲賞鑒，互相交換藏書資訊，同時也流通圖書。再如徽州府歙縣文人謝陛，也曾親往焦家借觀圖書，並與焦竑一同品評時下書籍之良窳。《二續金陵瑣事》載其事，云：

> 謝陛，字少連，歙人也。借《新安文獻志》舊本於澹園先生（焦竑），因問此書如何？先生曰：「淹貫。」少連謂：「畢竟此書方可稱淹貫，若王元美先生（王世貞）《四部稿》，前後矛盾處甚多，不可謂之淹貫。」[102]

99　《開有益齋讀書志》，卷3，〈元牘記〉，頁180。

100　《游居柿錄》，卷3，頁53。

101　《味水軒日記》，卷7，頁444。

102　《二續金陵瑣事》，下卷，〈淹貫〉，頁344。

此外，在焦竑的文會當中，還曾經發生過一件感人的掌故，亦見載於《二續金陵瑣事》一書。據說：

> 焦澹園收得楊文貞公士奇三場試卷，潘雪松（潘藻）與文貞公曾孫名寅秋者言之。寅秋即同潘拜澹園先生求見，愛玩再四。澹園先生曰：「此君家物也，合歸於君。」因舉以贈之。[103]

楊士奇爲明代初期傑出的內閣輔臣「三楊」之一，[104]賢名滿天下。然考諸史冊，楊士奇實際上並非科甲出身，乃是於建文初年用王叔英（？-1402）薦，入翰林參與編纂事，尋試吏部第一的。因此，焦竑所藏之楊士奇三場試卷，極可能是建文年間的吏部試卷，且爲名賢手跡，故其珍秘程度自不待言。然焦竑目睹楊氏後人對先祖遺書的孺慕情景，竟不顧得來不易而隨手相贈，以全人之孝，成人之美，如此前輩流風，正可傳唱千古。而這等襟懷，正可謂歷來藏書家中所亙古罕見，亦足旁證文會於流通藏書之助益。

六合縣藏書家孫國敉，天啓 5 年（1625）恩貢生，廷試第一，授延平訓導。「夙精賞鑒，碑版書畫，爭集其門。居金陵小館，近廟市，華亭董其昌時過其邸，評閱終日。會詔題《九陽圖》，勅訂琴名，皆稱旨。」[105]董其昌爲松江府華亭縣頗負時名的藏書家，時時與孫國敉評隲藝文，探論今古，因書爲會，藉以相互交換鑑賞心得。

至於明代南京藏書家的文會社集活動，首次標榜以藏書事業爲主題的盟會者，當推萬曆 37 年（1609）寧國府宣城縣的藏書家梅鼎祚，邀約蘇州府常熟縣藏書家趙琦美、杭州府秀水縣藏書家馮夢禎等人，一同與南京上元縣藏書家焦竑共作「鈔書會」爲嚆矢。當時規定每三年一會於南京，各自出示所藏異書，互相抄校，[106]共享有無。據《列朝詩集小傳》所載：

103　《二續金陵瑣事》，上卷，〈文貞試卷〉，頁 290。

104　三楊即楊榮（1371-1440）、楊溥（1372-1446）與楊士奇。

105　《金陵通傳》，卷 21，〈孫拱辰〉，頁 322。

106　徐雁，〈虞山派藏書事蹟〉，《蘇州雜志》，2002 年第 2 期，頁 42。

禹金（梅鼎祚）好聚書，嘗與焦弱侯（焦竑）、馮開之（馮夢禎）暨虞
山趙玄度（趙琦美）訂約搜訪，期三年一會於金陵，各書其所得異書逸
典，互相鈔寫。事雖未就，其志尚可以千古矣。[107]

可惜《鈔書會》後來未能如願舉行。不過當年，趙琦美仍然借得焦竑所藏《東
皋子集錄》，進行校錄。[108]

　　稍後，居住上元縣的藏書家丁雄飛與黃虞稷兩人，也相約共立鈔書會，名
爲「古歡社」。「丁雄飛，字菡生，江浦人。居烏龍潭，顏所居曰：『心太平
菴』，富於鄴架，抄本多至四櫃。著《古歡社約》，與黃俞邰（黃虞稷）分日
往還，互相更換，將以取古人精神而生活之。所著書目，載《通志》。」[109]「古
歡社」社約云：

> 每月十三日丁至黃，二十六日黃至丁。爲日已訂，先期不約。要務有妨
> 則預辭。不入他友，恐涉應酬，兼妨檢閱。到時果核六器，茶不計。午
> 後飯，一葷一蔬，不及酒，踰額者奪異書示罰。輿從每名給錢三十文，
> 不過三人。借書不得踰半月。還書不得託人轉致。[110]

其實，當時江南各地的藏書界正在流行一股流通圖書的風氣。例如蘇州府常熟
縣藏書家錢謙益，曾經和福建的兩位大藏書家──閩縣徐𤊹（1570-1645）與侯官
縣曹學佺（1574-1647），建立藏書互通之約。據《明詩人小傳稿》載：

> 萬曆己卯（7年，1579），（徐𤊹）偕其子訪錢謙益，約以互搜所藏書，
> 討求放失，復尤遂初（尤袤，1127-1194）、葉與中（葉盛）兩家書目之

---

107 《列朝詩集小傳》，不注卷數，〈梅太學鼎祚〉，頁 667。

108 《澹園集》，附編 4，李劍雄〈焦竑年譜（簡編）〉，頁 1306。

109 《金陵待徵錄》，卷 6，〈丁雄飛〉，頁 103。

110 《古歡社約》，頁 39-40。

舊，能始（曹學佺）亦欣然願與同事，會亂旋卒。[111]

其實錢謙益的「絳雲樓」藏書，早期是祕不示人的。全因遭逢回祿，自悔書籍聚於一人，亦毀於一炬，才警覺到古書恐將因此湮滅。可惜其規約如今不得而知，且其事亦寢而未果。

再如嘉興府秀水縣藏書家曹溶（1613-1685）所倡議的《流通古書約》，其流通藏書的目標，則獲得不少藏書家的響應。曹溶倡曰：

> 予今酌一簡便法。彼此藏書家各就觀目錄，標出所缺者，先經註，次史逸，次文集，次雜說。視所著門類同，時代先後同，卷帙多寡同，約定有無。相易則主人自命門下之役精工繕寫，較對無誤，一兩月閒，各齋所鈔互換。此法有數善，好書不出戶庭也，有功于古人也，己所藏日以富也，楚南燕北皆可行也。[112]

曹溶的這種傳抄辦法，是中國自古以來藏書界的一種革新與創舉，利用這樣的方式，每位藏書家徵集圖書的途徑變寬且變多，對於江南五府地區藏書的流通，貢獻可謂最多，且在古代文獻的保存上，具備特殊的重要意義。[113]

至於丁雄飛與黃虞稷的《古歡社約》，其實與曹溶的《流通古書約》頗具異曲同工之妙。除了明白地規定了兩家必須遵守的抄書期程與規則，同時也牢牢地記錄著明代南京私人藏書流通情形的一段高潮。丁雄飛積書數萬卷，與同鄉著名藏書樓「千頃堂」主人黃虞稷為摯友，兩家相去十餘里，互約抄書，立《古歡社約》，其規則清楚實際，表現積極可行，足以媲美當時江南任何的鈔書社群。後世清代的江寧文人金鰲，對於這兩位胸襟開闊、懷抱流通藏書先進思想的鄉賢前輩，仍然不禁讚嘆地說道：

111　清·潘介祉，《明詩人小傳稿》（臺北：中央圖書館，1986年版），卷5，頁162。

112　清·曹溶，《流通古書約》（《知不足齋叢書》2，臺北：興中書局，不注出版年），頁2上。

113　《明代的江南藏書——五府藏書家的藏書活動與藏書生活》，頁245。

藏書之富，在於能讀。丁菡生與黃俞邰立「古懽社」，定期每月十三日
丁詣黃，二十六日黃詣丁，彼藏此缺，互相質証。丁居清涼山下，黃居
馬路街。*114*

在《古歡社約》當中，不僅可以體會到這一對關心文化、志同道合的友誼，更
重要的是能認識到，在當時的條件之下，這樣的作法對於保存古代文化所起的
作用。*115*特別是黃虞稷，其年紀雖少於丁雄飛，然所秉持之流通藏書的思想，
卻更勝於丁雄飛。據《國朝耆獻類徵初編》的記載：

> 黃虞稷，字俞邰，泉州晉江人。父居中，明季為南京國子監丞，遂家江
> 甯。兄虞龍，字俞言，少有逸才，早卒。虞稷七歲能詩，號神童，十六
> 入縣學。兩世藏書至八萬餘卷，與江左諸名士為「經史會」，以資流覽。
> 因諸生三十餘載，康熙十七年（1678），舉博學鴻儒，遭母喪不與試。
> 既左都御史徐元文薦修《明史》，召入史館，食七品俸，分纂〈列傳〉
> 及〈藝文志〉。轂下士大夫，率就借書無虛日。*116*

觀其所載，在與丁雄飛成立「古歡社」之前，黃虞稷其實已經和一些江南名士
共同創為「經史會」，相約共賞各家藏書，藉以流通有無。他的開放作風，也
使得當時「轂下士大夫，率就借書無虛日」，足見其藏書思想之通達，儼然已
經徹底地打破了以往古代私人藏書的狹隘與封閉形象，而另行塑造出明代南京
私家藏書的一類優質特色文化典型。

　　總之，一個正確思想觀念的成形，必先以其深厚的文化積累為底蘊，然後
經歷數代人不懈地改進與傳承，最終蛻變成一種新的、漸為社會大多數所接受
的意識，從而在社會進步中發揮出重要的作用。儘管歷來無人重視中國古代私

---

114 《金陵待徵錄》，卷8，〈志事〉，頁136。

115 《古歡社約》，書前，嚴靈峰〈出版說明〉，頁2-3。

116 《國朝耆獻類徵初編》，卷427，〈黃虞稷〉，頁27上。

人藏書樓中資源分享觀念對後世的影響，但它卻是今日圖書館界資源共享思想的濫觴。[117]

第五節　明代南京藏書家的專業貢獻

關於明代藏書家的專業貢獻，通常是指其利用家中藏書、藏書專業知識，或是藏書家本身的性格特徵，以及一生的活動與行事內容等方面，對於地方或全國、當時或後世所產生的良性作用和影響。一般說來，除了修纂校訂圖書文獻、推展社會優質風氣或區域生活文化之外，至少還包括了典籍文獻的保存與流傳、利用藏書進行學術研究與編纂史料、藏書理論的建設、圖書流通共享觀念的發展與成形、藏書樓建築與圖書保護等方面的建樹。[118]以下僅就明代南京藏書家的專業貢獻，擇其重要者加以論述。

上元縣的藏書家李登，曾應居住於杭州府城內的秀水縣籍藏書家馮夢禎之邀，共同參與地方上的宗教文獻校讎工作。馮夢禎說：「歲甲午（萬曆22年，1594），余鄉僧覺者，發願倡期修補南大藏于報恩寺，而延鄉達李如真先生（李登），與二、三名衲，任校讎之役。」李登獲邀參與方外人士的校書工作，正是基於他在藏書活動上的專業素養，藉由他的權威知識與技能，為佛教《大藏經》作出重要的貢獻。同縣的藏書家盛時泰，對於地方文獻，也有專業貢獻。盛時泰對碑帖研究殊有心得，往往發為跋語，加以述評。如前述《元牘記》，即盛時泰之碑帖跋語，「仲交所跋，多羅（鳳）、姚（涵）二家物，於金陵碑碣頗詳。」此外，還有居住同縣的焦竑，以及江寧縣的顧起元，也都十分注意鄉梓文獻的編纂與考校。「焦竑弱侯有《金陵名賢帖》，顧起元鄰初有《江甯古金石考》，尤為表著。」特別是焦竑，在保存史料與國史的編纂上最為膾炙人口，也最能顯現出明代南京藏書家於圖書編纂上的專業貢獻。至今學者仍然

---

117 馮方、荊孝敏，〈私人藏書樓中的資源共享思想〉，《遠東學院學報》社會科學版，2010年第2期，頁140。

118 牛紅亮、張小玲，〈略論明代的私家藏書〉，頁36-37。

認為，作為一部重要的史志目錄著作，焦竑編纂之《國史經籍志》的優點確實十分突出。他憑藉一己之力，仰賴家中豐富的藏書與自身深厚的目錄學根柢，歷十年之辛勤，著錄先秦至明代中後期的文獻，這種學術貢獻和學術氣概，絕對值得肯定。**119**

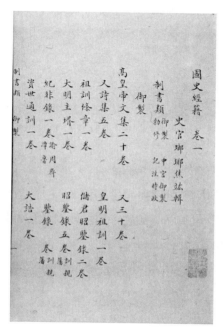

圖十八：國家圖書館藏焦竑《國史經籍志》，舊抄本。**120**

明末上元縣藏書家黃居中與黃虞稷父子，藏書「千頃堂」，列架連檻，充棟連屋。《上元縣志》載曰：

---

119 劉開軍，〈焦竑《國史經籍志》的傳播及其影響〉，《廊坊師範學院學報》社會科學版，2009 年第 3 期，頁 58。

120 圖片轉引自：明・焦竑，《國史經籍志》，「國家圖書館古籍影像檢索系統」，檢索於 2014 年 6 月 3 日，http://rarebook.ncl.edu.tw/rbook.cgi/hypage.cgi?HYPAGE=view.htm&bkno= 04982。

> 黃居中，字明立，一字海鶴。先閩人，來官金陵，遂家焉。少穎異，十
> 歲能文。萬曆乙酉（13 年，1585）舉禮經魁，授上海教諭，教養士子，
> 同於子弟。陞南國子助教，遷監丞，訓士一如教庠之法。暇則與六館寮
> 友，講究典籍，大肆力於文章，名噪甚。轉貴州黃平知州，投檄不赴，
> 歸老青溪。生平介持不苟。……甲申（萬曆 17 年，1644）闖變，居中
> 年八十有三，聞之，北向號慟，衰絰食粥者累月，未幾卒。遺命幅巾以
> 斂，葬清化鄉插花廟。[121]

至於在藏書家的專業貢獻方面，透過黃居中與黃虞稷父子兩世積累的充棟藏
書，對於地方文獻的編纂，也曾做出很大的貢獻。例如康熙初年，地方上倡修
《上元縣志》，即是倚賴當地黃氏父子的藏書，作為主要的參考來源。所以，
他們對於地方文獻的整理，可謂居功厥偉。時人讚云：「丁未（康熙 6 年，1667）
修郡乘，得居中藏書及其仲子虞稷携輯之功為多。」[122]尤其是黃虞稷，更是善
用了家藏以及自身的圖書編輯專業知能，對於編修國史和圖書纂輯上，更是為
人津津樂道。據《鶴徵前錄》載：

> 黃虞稷，字俞邰，一字楮園，福建晉江籍，江南上元人。生員。先生博
> 雅能文，尤深經學。館江寧龔方伯（龔佳育，1622-1685）署中，與令子
> 侍御葯圃（龔翔麟）交最契。龔藏書甲浙右，所刊《授經圖》、《春秋
> 纂例》諸書，經其校正者為多。……俞邰博雅，負盛名，家藏書甚富，
> 錄有《千頃堂書目》。以薦起，同纂修《明史》，徐司寇（徐元文，1634-1691）
> 奉詔修《一統志》，復疏請同事，未卒業而終。[123]

---

121 《上元縣志》，卷 16，〈黃居中〉，頁 20 下-21 上。

122 《上元縣志》，卷 19，〈黃居中〉，頁 52 上。

123 清·李富孫，《鶴徵前錄》（《清代傳記叢刊》13，臺北：明文書局，1985 年 5 月初
　　版），卷 23，〈黃虞稷〉，頁 37 上-下。

可知黃虞稷因家藏典籍之富和專業知能之深而馳名遠近，早先爲同樣喜好藏書的布政使龔佳育所仰仗，委其校正所欲刊刻的圖書數種。後來甚至還受到朝廷的重視，下令延攬進入史局，參與纂修《明史》的國家重大文化工程。

　　另一方面，由於家藏圖籍高達數萬卷之多，爲了方便管理，黃居中嘗憑其藏書經驗與專業知識，編製《千頃齋藏書目錄》6 卷。而其子黃虞稷，因受家學影響，再加上自身所抱持之藏書與人流通的開放氣度與專業視野，又續編了《千頃堂書目》32 卷。據《己未詞科錄》所載：

> 黃虞稷，字俞邰，號楮園，福建晉江人。諸生，以薦入史館，特加七品服。著有《千頃堂書目》三十二卷、《楮園集》十卷。虞稷先世泉州人，崇禎末，流寓上元。書首自題曰：「閩人」，不忘本也。所錄皆明一代之書，經部份十一門，既以四書爲一類，又以《論語》、《孟子》各爲一，又以說《大學》、《中庸》者，入於三禮類中，蓋欲畧存古例，用意頗深。……史部份十八門，其「簿錄」一門，用尤表《遂初堂書目》之例，以收錢譜、蟹錄之屬，古來無類可歸者，最爲允協。……子部份十二門，其墨家、名家、法家、縱橫家，併爲一類，總名「雜家」。……集部份八門，其別集以朝代科分爲先後，無科分者，則酌附於各朝之末，視唐宋二志之糅亂，特爲清晰，體例可云最善。**124**

黃虞稷的《千頃堂書目》，蒐羅宏富，類例詳賅，足資辨章學術、考鏡源流，爲當時學者所重視，也是目錄學界的不朽之作。《千頃堂書目》按經、史、子、集四部分類，經部以下再分 11 類，史部分 18 類，子部分 12 類，集部分 8 類。全書沒有總序，大類、小類也都無序。書目下無解題，但小類的類目下，間或有注，說明本類的內容及收錄的範圍。清初官修的《明史·藝文志》，實採錄黃虞稷的《千頃堂書目》，且是以他的《明史·藝文志稿》爲底本而修成的。《明詩紀事》記云：

124　《己未詞科錄》，卷 4，〈黃虞稷〉，頁 12 下-13 上。

> 尤西堂（尤侗，1618-1704）入史局，撰《明藝文志》五卷。後來史官，
> 以西堂所撰蕪雜荒謬，削去底稿，取黃氏《千頃堂書目》為底本，以私
> 家紀載，而為一代史乘之目錄，其收藏可謂宏富矣。[125]

　　黃虞稷在目錄學上取得的成就，可說在中國目錄學史上佔有相當重要的地位，這一點是絕不可為後人所忽視的。[126]《明史・藝文志》之所以會用《千頃堂書目》作為底本，實際上與黃虞稷的「千頃堂」藏書中，收藏著為數眾多的明人著述，以及大量的遼、宋、金、元人撰著，有著極大的關係。黃虞稷在編輯《千頃堂書目》時，特別利用了家藏豐富的明人著述，同時也參考其他藏書家所藏之大量明代著作，故其收錄範圍就比一般藏書家的藏書目錄大很多，而所著錄之明人著作，自然也十分可觀。[127]總之，黃氏父子藉由雄厚的家藏典籍，以及本身積累的淵博藏書專業知識，先後接續完成了膾炙人口的家藏目錄。而完善的類例設計，囊括了明代以前大量的文獻圖籍，其裨益當時與後世的學者們得以即類求書、因書就學，產生的影響確實非常宏遠。

　　至於刻印古書流傳於世，也是藏書家們專業貢獻的表現之一。黃虞稷為使珍秘書籍得以流通於人世間，不致因災禍而湮滅，在僅憑一己之力無法刊刻的情況下，首先透過自己於古籍鑑識上的專業經驗與知識，精心挑選出家藏中世間罕見的珍稀秘笈 96 種，編製成書目，再向社會公開徵求刻印者，表示願意無償提供家藏珍本，隨他們任意選擇刊刻，此舉不但表彰前賢，抑且嘉惠來者。

125　《明詩紀事》，卷 14 下，〈黃居中〉，頁 109。
126　魏思玲，〈論黃虞稷的目錄學成就〉，《洛陽師範學院學報》，2000 年第 3 期，頁 135。
127　《黃虞稷研究》，頁 31-32。

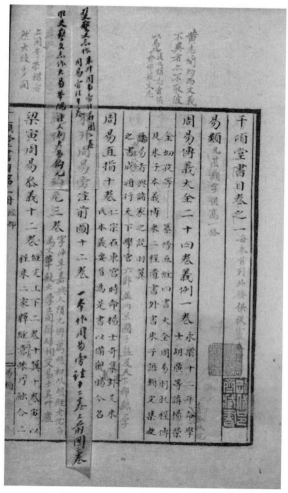

圖十九：國家圖書館藏黃虞稷《千頃堂書目》，清鮑廷博知不足齋鈔本。**128**

128 圖片轉引自：清・黃虞稷，《千頃堂書目》，「數位典藏與數位學習聯合目錄」，檢索
於 2014 年 6 月 13 日，http://catalog.digitalarchives.tw/item/00/07/f9/91.html。

這就是馳名一時的《徵刻唐宋秘本書目》的由來，表現出古代藏書家最爲無私、最爲開明的一面。該書目自發佈以後，促使許多清初的藏書家們紛紛響應開雕，如納蘭性德（1655-1685）刻《通志堂經解》，便取其家 22 種經書刊行；後世的鮑廷博（1728-1814）出版《知不足齋叢書》，也選錄其家 9 種珍本。甚至連中央刊印的武英殿聚珍版叢書，也按此書目選取不少史、子部珍籍雕印，[129] 足見黃虞稷對傳承古代典籍的專業貢獻，實在令人讚嘆。

此外，《古歡社約》是黃虞稷和居住於上元縣的藏書家丁雄飛這兩位藏書家之間文獻資源分享的協議書。此約由丁雄飛起草，在相當長的時間裡，成爲兩者必須履約遵守的協定。《古歡社約》是我國古代藏書家社群實行資源分享的第一份文獻，它的問世，不僅打破了傳統藏書樓封閉保守的禁忌，也爲藏書樓的變革和新生，指出了一條可行之路。[130]

總之，透過丁雄飛與黃虞稷的《古歡社約》，兩家盡出家藏秘本，互通有無。而龔佳育雕印《四書講義》行於世，以及刊行《授經圖》、《春秋纂例》諸書，也大多經過黃虞稷的審閱校正。黃虞稷除與丁雄飛有協議外，又常與江左諸名士約爲「經史會」，以資傳抄流通。此外，黃虞稷又與周在浚共同發起「徵刻唐宋秘本」活動，當時也都得到很多學者的熱烈迴響。[131] 以上諸點，都是明代南京藏書家們書籍流通共享的一段璀璨歷程，打破了長久以來中國古代藏書家給人「藏書秘不示人」的負面印象，著實爲中國古代的藏書歷史，揮灑出一幀精彩生動的浮世繪。

第六節　樹立區域文人藏書生活文化的典型

南京自古以來即爲政治、文化中心，唐宋以後，更是江南工商業、經濟與交通的中心城市，商旅雲集，文人墨客亦匯聚於此，流連忘返。明中葉揚州府

129　蕭東發、袁逸，〈中國古代藏書家的歷史貢獻〉，頁 47。
130　陳少川，〈黃虞稷圖書館學成就初探〉，《江蘇圖書館學報》，1998 年第 5 期，頁 14。
131　馮方、荊孝敏，〈私人藏書樓中的資源共享思想〉，頁 142。

泰州文人儲巏（1457-1513）曾經讚嘆地數說：

> 金陵，吳楚間一都會也。大明興，肇為京師，既七十禩，及為南京，視
> 前代蓋東西都焉。地據江山之勝，高城深池，包絡林麓，與陝之河華，
> 洛之崤澠相埒。俯臨仰矚，使人氣象廣大，神超而意壯。其神皋粤壤，
> 崇臺閒舘，仙佛之所廬，漁樵之所舍，使人游閒騁放，得以訪古而宅幽。
> 其閭閻巷陌，都人士女，被服袨麗，車騎雍容，歲時追逐，謳舞愉樂，
> 使人永日而忘年。其宮闕之壯，府署之嚴，周廬環衛之旴列，凡祖宗謨
> 訓之所在，流風遺烈之所存，使人悚然。過其下，慨然以思，肅然其有
> 言若是者，雖陝洛不得而兼也。故大夫士退老於家，與幽人逸士之家食
> 者，多列第築室於其間。**132**

顧此，明代許多休致的官宦，或是追求避世的逸隱山人，甚至還有一些家貲豐
厚的商賈富農們，紛紛選擇居住南京，品味這裡的山川風月之美，城市街景之
麗。當然，他們當中的許多人發展出一些雅俗共賞的區域生活類型，譬如藏書
生活，便屬其一，成為明代南京城市生活當中，特徵最為鮮明的一種生活文化
典型。以下，筆者即就史料所載明代南京藏書家的生活內容進行深入性的觀察，
並將其中獨樹一格、較有特色，且對當時或後世產生一定影響的藏書家各種生
活面向，分別列舉論述於後。

一、逸隱狂狷的藏書生活

　　明代文人之所以尚趣，其實與中國自古以來文士的「逸」、「狂」、「狷」
等人格特質有關。尤其到了明代，文士們在懷才不遇的情況之下，比如說科場
不順或宦途多舛，更是將「逸」、「狂」與「狷」的性格大加突顯出來，使其
更具時代特色。「狂」的人格富於進取精神和異端思想，往往從人與社會的矛
盾之中，激發出強烈的主體意識，並經過與自然的融會，受到一些啟示，進而

---

132 《柴墟文集》，卷8，〈賀愚逸顧處士六表秩封序〉，頁1上-下。

進入到審美和創造的過程，終於形成一種狂飆突進式的藝術風格，在審美自由當中增進道德自由，但不是一種純粹的審美人格。[133]總體而論，「狂」者積極進取，熱心救世；而「狷」者無為而治，消極被動；「逸士」則飄零避世，不問塵俗。這三種心態，皆由政治與社會現實環境所引發。而明代南京文士，特別是身處明代中晚期的文人們，他們面對日益腐敗的政治環境和仕途的困頓不遂、理想無處發揮的頹廢情景，基於這三種心態的交互影響，表現在生活上，也呈現出「逸」、「狂」與「狷」等多重性格特徵，非常講究生活上的心靈抒發與慰藉。

元末明初的溧水縣藏書家夏鑑，「少有氣節，嘗抵掌談天下事，謂易理耳，第弗能就時格，竟弗仕。掃一室，貯先人所遺書，而兀然其中，曰：『足老我矣！』家故貧，至是益貧。性孤潔無所合，人跡罕有及其門者。久之，里中諸鉅族習其名，爭延致之，而鑑弗許也。年七十，受徒於鄉，門下彬彬多賢者。或語之：『夫子勿顯，門下必有顯者出。』鑑大笑曰：『爾欲以北面太守榮鄭玄（127-200）乎？』後有司累辟不就，壽七十五而終。」[134]夏鑑首先為爾後明代南京藏書家的生活風格，樹立出「逸」者之典型。

約同其時，江寧縣藏書家王顯，則表現出「狂」者之特性。《江寧縣志》載其事略，云：

> 自雄其才，往來江淮閒，交大俠異人，論古人功業。遇當其意，徘徊歎
> 息，仰天拊髀，若起千載以上之人。……後忽盡悔所為，買書數千卷，
> 伏讀之。為文益奇偉伉健，然恥以文章自名。[135]

王顯「幼從外傅學，不能帖帖，所業每數倍於諸生，師大驚，辭不能教之，既

133 張節末，《狂與逸─中國古代知識份子的兩種人格特徵》（北京：東方出版社，1995年10月初版二刷），頁88-89。

134 清·閔派魯等，《溧水縣志》（《北京圖書館古籍珍本叢刊》24，北京：書目文獻出版社，1988年，據清順治刻本影印），卷7，〈夏鑑〉，頁27下-28上。

135 《江寧縣志》，卷10，〈王顯〉，頁68下-69上。

長，益自負」，人稱：「顯遠利詭，隱志不苟出也，一世之奇士哉！」[136]

　　稍後的上元縣藏書家史忠，觀其生平行止，亦屬明代南京藏書家中「狂士」之流亞。「年十七乃能言，外駭中慧，人以癡呼之，因自號癡仙，晚稱癡翁。性卓犖不羈，好批白布袍，戴方斗笠，鬢邊插花，坐牛背，鼓掌謳吟，旁若無人。居去治城百許步，家有『臥癡樓』。生平工詩善畫，能為樂府新聲。」[137]「臥癡樓」內盛陳圖史，據《上元縣志》所載史忠的日常生活，曰：

> 有酒，引客談笑，醉則按拍歌新詞，清亮過雲。有時出遊，不告家人所往。嘗訪沈石田（沈周）于吳門，……不通姓名而出，石田曰：「必金陵史癡也。」要之歸，留三月而別。石田來金陵，亦館于「臥癡樓」。[138]

史忠自幼至老，一生行止多異於常士，為明代南京藏書家的一種性格特色，觀其生活品味，亦足視作一種區域文人的生活表徵。而高淳縣的藏書家邢昉，也是如此。「性剛卞，一語不合，見色拂衣，恥為俯仰之態。屢遊吳越山水間。崇禎五年（1632）試於有司，斥其文曰：『大狂』，因作〈太狂篇〉，遂棄舉業，益肆力於詩、古文詞。」[139]

　　另一方面，句容縣的藏書家王暐，則首開明代南京藏書家當中，「狷」者形象之先例。《句容縣志》載其生平事狀，略云：

> 舉正德丙子（11年，1516）鄉薦，是年，聯登進士第。……授吉安府推官，以明允平恕，得上下心。……晉陞戶部尚書，總督倉場，督理西苑農事。……亡何，偽銀事起，……置不辯，即日單騎趨里。日灌園城南，歲時伏臘，二三昆弟暨微時交，詩筒酒杯，徜徉自適，絕口不言仕途事；然聞四方利害，時政闕失，未嘗不拊几扼腕也。識者方望公再起，為天

136 《南畿志》，卷6，〈人物〉，頁19下-20上。
137 《金陵通傳》，卷14，〈史忠〉，頁406。
138 《上元縣志》，卷20，〈史忠〉，頁33下。
139 《金陵通傳》，卷16，〈邢昉〉，頁463。

下福，而遽以疾逝，惜哉！……居恆孝友篤摯，視兄弟子為己子，婚娶
教督，務底成就。世味一切無所好，顧獨好書，構樓貯之，額曰：「藏
書山房」，雖老，持一卷不廢。……公開府二方，致位九列，今甫百年，
遂無以為家。大抵生平無苟交，無詘節，見善如不及，語保子孫黎民者，
必歸之，綽有古大臣風，非僅僅以廉靖稱而已。**140**

消極低調、正直安份、不妄社交、摒俗樂道而無所作為，即是這類藏書家的生
活特色。其後，上元縣藏書家朱之蕃，也是明代南京藏書家當中，以「狷」者
形象特立獨行的人物。據《金陵通傳》載：

之蕃，字元介，號蘭嵎。幼即穎拔能文，善書并工畫。舉萬曆二十二年
（1594）鄉試，明年成進士，廷試第一，授修撰，出使朝鮮，賜一品服。……
進南京禮部右侍郎，攝工部。……家本素封，既貴，悉以產讓弟，且為
婚嫁。……會丁母憂，遂不復出。構「小桃源」於謝公墩北，積鼎彝、
書畫其中，嘯咏自得，不干津要。**141**

藏書家之「狷」者，其心態多是雅於道而絕於俗，安貧守素，自得其樂。一如
明末時人陸紹珩所云：「生平願無恙者四：一曰青山，一曰故人，一曰藏書，
一曰名草。」**142**他們的特性，在於堅持寧靜而有待、雅潔而無為的高士形象。
所以，綜觀王暐與朱之蕃所具備之淡泊名利的低調風華，以及篤於藏書癖嗜的
高尚行徑，真可為此間「狷」者之明範。
　　明末，居住於上元縣的藏書家丁雄飛，也是偏屬「狷」者類型的明代南京
藏書家之一。他曾經借用家中擺設的一張他個人頗為喜愛的榻為例，來表達心
中蘊蓄的狷介之志。他自稱：

---

140 《句容縣志》，卷9，〈王暐〉，頁29上- 32上。
141 《金陵通傳》，卷19，〈朱之蕃〉，頁557-558。
142 《醉古堂劍掃》，卷7，頁229。

年來息交絕遊，一味靜坐，覺廣廈俱屬長物，得一方牀結跏趺足矣。一日過友人齋，一榻堅好，撫而愛之。友人爰舉以贈，大慰夙懷，移置「心太平菴」中。檀香一線，素帷下垂，湛然深廣，身世兩忘。因念前哲來瞿塘先生（來知德，1526-1604）長年學道，萬念俱捐，每一入枕，酣寢自如，有九喜焉，因以名榻。予今日亦次予之喜于榻左：一喜多藏書，二喜閨人習筆墨，三喜不能飲，四喜不解奕，五喜為世所棄，六喜得名師，七喜攜眷屬居山水間，八喜無病，九喜年未五十，家務盡付兒子，脩然世外。百年之內，前有來先生，後有不肖，俱于榻結歡喜緣，榻于是乎傳矣。**143**

誠如時人蕭士瑋（1585-1651）所言：「山中圖史足娛，兼得好友相與晨夕，此福當矜慎享之。」**144**綜觀丁雄飛的恬雅樂道、寧靜守志，習靜養癖而有所不為的人格特徵，亦堪稱作明代南京藏書家「狷」者之表率。

圖二十：故宮博物院藏《明唐寅高士圖》（局部）。**145**

---

143 明・丁雄飛，《九喜榻記》（《檀几叢書》，臺北：中央研究院藏清康熙 34 年新安張氏霞舉堂刊本），2 集卷 38，頁 1 上-下。

144 明・蕭士瑋，《偶錄》（《四庫禁燬書叢刊》集部 108，北京：北京出版社，2000 年 1月初版，據北京大學圖書館藏清光緒刻本影印），頁 40 上。

145 圖片轉引自：明・唐寅，《明唐寅高士圖》，「數位典藏與數位學習聯合目錄」，檢索於 2014 年 6 月 17 日，http://catalog.digitalarchives.tw/item/00/10/8f/2a.html。

二、專癖典籍的藏書生活

　　有別於明代大多數江南文士多養癖嗜的生活情趣，有些明代南京的藏書家的生活崇尚則獨樹一格，觀其一生癖嗜鮮寡，惟一以藏書爲志向，而無心旁及其他事物。居住上元縣的藏書家焦竑，「生平養深性定，無旁睇、無倚容，澹然得失之場。家居廿載如一日，惟問奇之履，常滿戶外。擁書數萬卷，日哦咏其中有若寒士；副墨之傳，得其片楮剩牘，爭珍襲之。」[146]焦竑一生的嗜趣盡在圖書，即便與友人或學者們進行文會或論學，也大半與圖書有關，誠可謂於明代南京藏書家的諸多生活形態當中，開創專癖典籍藏書生活之典型。

　　與焦竑居住同縣的藏書家吳自新，也是一位專癖典籍的明代南京藏書家。「素敦孝友，里中羨其家法。好汲引名流，推轂徧天下，耿定向（1524-1593）每曰：『伯恆（吳自新）語墨動靜，無非學也。』晚好《易》，宦邸構『洗心軒』，家有『玩易窩』。又起『萬卷樓』以藏書，刊友人楊希淳、李逢暘遺文。」[147]還有同縣的藏書家黃居中、黃虞稷父子，二人之生活內容也離不開藏書事業，主要包括借觀、購買、抄書、讀書、刻書等活動，佔他們日常生活的絕大部份。友人蘇州府常熟縣藏書家錢謙益嘗謂：

> 居中，字明立，晉江人。……明立專勤汲古，得異書，必手自繕寫。自上海教諭，遷南國子監丞，遂僑居金陵。年八十餘，猶篝燈誦讀，達旦不勌，古稱老而好學，斯無愧焉。……虞稷，能續其家學。余采詩于白下，盡發其所藏，以資披擷；又汲汲表章父兄之遺文，其有志如此。[148]

可見黃氏父子的藏書生活，誠屬南京專癖典籍藏書生活類型之佼佼者。此外，

146　清・徐開任，《明名臣言行錄》（《明代傳記叢刊》53，臺北：明文書局，1991 年 10
　　月初版），卷 74，〈修撰焦文端公竑〉，頁 19 下。

147　《金陵通傳》，卷 18，〈吳自新〉，頁 522-523。

148　《列朝詩集小傳》，不注卷數，〈黃監丞居中〉，頁 511-512。

與他們居住同縣的好友，江浦縣籍的藏書家丁明登、丁雄飛父子，也是此類中人。「明登，字元龍，號蓮佀，應天江浦人。公廉靜好書，中萬曆四十四年（1616）進士，除泉州推官。」[149]「職滿入觀，恥爲瑠屈，作〈瑠籡歌〉，遂歸。築園於烏龍潭，徜徉著書，無閒歲月。」[150]子丁雄飛，藏書嗜好一如其父，終日惟與書堆爲伴。「積書數萬卷，每出，必擔籠囊載書史以歸。居烏龍潭『心太平菴』，立『古歡社』，與黃虞稷互相考訂。」丁氏父子，皆以圖書相關活動作爲藏書生活的重心。

三、賓朋高會的藏書生活

　　明代南京的藏書家社群當中，也有部份將賓朋高會等社交活動融入原本的藏書生活當中，成爲一類明代南京藏書家的生活特色。江寧藏書家蔣用文，酷好藏書與以文會友。「在京所居近市，闢一齋，深邃明爽，題曰：『靜學』。又治一齋公署左，偏題曰：『緝熙』，圖籍充牣。稍暇，即齋中研玩讐校，未嘗釋卷。喜爲詩文，遇名賢所製，率自抄錄，蓋雖老，學問不倦。文人韻士，過從者無虛日。賓至必置酒，或五行，或七行，吟詠爲樂」，[151]此即蔣用文的藏書生活寫照。江西吉安府泰和縣藏書家楊士奇爲其摯友，曾經親睹蔣氏藏書生活，述曰：

> 太醫院判儀真蔣公，儒者也。博學而有文，清脩而雅尚，於余往還二十
> 年，數過其「靜學齋」，未嘗不置酒樂客。客與公東西坐，則其四子以
> 序立侍，色甚溫，儀甚恭也。客喜，求其所以名，曰：主善、主敬、主
> 孝（1397-1472）、主忠。……及至北京，居一室，廣不踰尋，而靚幽明

149　《啓禎兩朝遺詩小傳》，不注卷數，〈丁衢州・附子雄飛〉，頁197。

150　《金陵通傳》，卷21，〈丁遂〉，頁614。

151　《國朝獻徵錄》，卷78，楊士奇〈太醫院使謚恭靖蔣公用文墓表〉，頁13上-14上。

爽，纖塵不侵，書冊琴瑟、圖畫尊俎，公無日不與賓客樂，而所以致其樂者，主敬也。[152]

稍後，上元縣藏書家孫本，亦復以賓朋高會佐藏書活動，憑添生活趣味。孫本「喜吟詠，操觚染翰，吟風弄月，出人意表。每遇佳音良朋宴樂，則浩歌以自適胷中，洒如也。」[153]

寓居上元縣的江西籍藏書家羅鳳，由進士官袁州知府，然性峭直，為「上官忌之，當大計，注其名曰：『宜簡』，乃移守鎮遠。復忤巡按御史，又注之曰：『宜簡』，遂改石阡，故自號簡翁。凡三綰郡符，皆有惠政及民，而不合上官。乞休歸，開『延休堂』以接賓，建『芳瀾閣』以儲書。」[154]「家居二十餘年，八十餘卒。博雅好古，所畜法書名畫、金石遺刻多至千種。」[155]同縣藏書家徐霖，亦是癖好賓客與藏書。據《金陵通傳》所載：

徐霖，字子仁，一字九峯。先世自松江徙南京，遂為上元人。霖廣面長耳，美須髯，體貌偉異，老而豐潤，行步如飛，因自號髯仙。初補諸生，坐視削籍。能文章，善詩歌，所填南北曲競傳都下。正德中，帝幸南京，召命侍直，……恩幸無比，嘗午夜乘船造其第，命置酒，惟蔬筍鮭菜，喜為引滿。宅有「快園」，帝釣魚池中，舟覆落水。……霖尋隨帝北還，……未幾放歸，詞翰益奇，繪事亦精妙。……年七十，開宴，名妓百餘人稱觴上壽，黃琳為主纏頭費。又十年乃卒。[156]

---

[152] 明·楊士奇，《東里文集》（《四庫全書存目叢書》集部 28，臺南：莊嚴文化事業有限公司，1997 年 6 月初版，據杭州大學圖書館藏明刻本影印），卷 16，〈贈蔣主孝序〉，頁 18 上-下。

[153] 《倪文僖集》，卷 29，〈明故奉政大夫修正庶尹荊府長史司右長史孫公墓誌銘〉，頁 35 上-下。

[154] 《金陵通傳》，卷 16，〈羅鳳〉，頁 472。

[155] 《江寧縣志》，卷 10，〈羅鳳〉，頁 67 上-下。

[156] 《金陵通傳》，卷 14，〈徐霖〉，頁 407-408。

徐霖之好高會，甚至連明武宗都是其座上佳賓，實在令人嘆爲觀止。同縣的藏
書家黃琳亦爲常客，在爲徐霖七十大壽所舉辦的大型宴會當中，邀請來祝壽的
名妓竟達百餘人之眾，且由黃琳負責她們侍宴的費用，足見兩人交情之深厚，
以及盛會場面熱鬧之空前。

　　而黃琳也是一位喜歡大會賓朋的明代南京藏書家，且其盛會手筆，絕不遜
於徐霖。《金陵通傳》亦紀其高會實況，云：

> 黃琳，字美之，一字蘊真，南京錦衣衛人，官本衛指揮。性豪邁，工詩，
> 喜藏書畫，好賓客，嘗夜宴十三道御史，大雪寒甚，乃取狐裘徧給之。
> 偶登徐霖「快園」中亭，或曰：「此園與長干塔對，惜爲城隔。」即以
> 金促霖起高樓望之。家有「富文堂」，每當讌飲，霖與陳鐸爲上客。一
> 日，琳謂之曰：「今日佳會，舊詞非所用也。」二人乃當筵聯句灑翰，
> 甫畢，即令伶人奏之，當時傳爲盛事。*157*

足見黃琳家貲鉅萬之實力，竟至於斯！同縣尚有藏書家王堯封，除藏書外，也
好文酒高會。官拜「南京刑部主事，就轉戶部郎中，拜思南知府，乞休歸。堯
封性好賓客，竿尺不遺千里。自守官以至歸田，率以一日造請，一日赴客飲，
一日召客。酷耆書，繙閱購買無虛日。入其庭，後堂無絲竹，密室無裙屐，自
架書外，酒鎗、纂局而已。爲文谿刻，非細味之不能句讀；士有持行卷造門者，
必束帶倒屣迎之。」

　　到了明末，上元縣藏書家李登仍酷嗜此風，結合賓朋盛會與藏書活動，成
爲明末南京這類藏書生活的靈魂人物。《明分省人物考》載其生平，云：

> 李登，字士龍，別號如真，上元人。弱冠補弟子員，……屢試弗售，謁
> 選，授新野令。……改諭崇仁，爲訂「居業會」、「熟仁會」，所與終
> 日語者，諸生退而錄之成帙。居二年餘，浩然有歸志，曰：「久矣！白

157 《金陵通傳》，卷14，〈黃琳〉，頁408-409。

門有約，吾不欲久虛也。」歸集舊游聯新知，隨地約社，隨人應機。……
生平究心性命外，百家羣籍，亦多兼通。……室如原子而車轍日至，年
近伏生而韋編不輟。*158*

李登以後，由於明代氣數將盡，朝政已是糜爛至不可收拾的地步，逢鼎革之際，
社會上人心惶惶，士人漸漸無心於此。明亡之後，南京又短暫地成為南明的首
都，局勢十分緊張險峻。而隨著國運的每況愈下，明代南京藏書家的高會習氣
也逐漸消彌散去，往日盛況再不復見。

四、好事尚趣的藏書生活

　　明人陸紹珩曾經說明文士的高雅生活有五種類型，其二為「清致」，即「知
蓄書史，能親筆硯，布景物有趣，種花木有方。」*159*湖廣公安縣文人袁宏道也
說過生活上真正的快樂有五種類型，其三為：「篋中藏萬卷書，書皆珍異；宅
畔置一館，館中約真正同心友十餘人，人中立一識見極高如司馬遷、羅貫中
（1330-1400）、關漢卿（1225-1302）者為主，分曹部署，各成一書，遠文唐
宋酸儒之陋，近完一代未竟之篇，三快活也。」*160*許多明代的藏書家，皆發願
終身與書為伍，且樂此不疲。然明代南京的藏書家，則往往將生活中的諸多癖
好，同時融入原本單調的藏書生活當中，使其顯得多姿多采。至於同時培養多
種嗜好，原本是出自於當時文人的好事性格，卻也因而在明代南京藏書家的生
活形態當中，又發展出另一種「多癖式」的藏書生活時尚。

　　考諸史載，在明代南京藏書家的藏書生活當中，舉凡同時融入兩種嗜癖以
上者，僅上元縣一地有之，茲分別縷述於後。上元縣藏書家李詠，為首開明代
南京藏書生活融入多樣癖嗜之先河。觀其墓誌銘，可獲見其日常生活的紀錄，
曰：

---

158 《明分省人物考》，卷13，〈李登〉，頁232-235。
159 《醉古堂劍掃》，卷4，頁109。
160 《袁中郎全集》，尺牘，〈龔惟長先生〉，頁1-2。

構一樓以居，扁曰：「此樂」，凡佳客過從，必開樽談笑，豁舒情興，
為文記之。暇則或策蹇，或肩輿，登山臨水，以遨以遊，竟日忘返。……
若處士者，雖居市廛之中，然安分樂天，無求於世，其特立獨行，曩與
流俗自異。故其生也為無忝，其歿也為無媿，蓋有隱遁不汙之節焉，可
嘉也已！*161*

李詠的藏書生活當中、融入了詩酒高會和遊山玩水等嗜好，讓他的藏書生活增
添許多鮮明色彩，趣味無窮。稍晚，同縣的藏書家許榮，亦為兼具多樣生活嗜
好的藏書家，除了癖好收藏典籍外，也「好法書名畫，登臨嘯咏，意興閒適。
嘗游三茅，泛西湖，歷齊、魯至燕，覽昌平諸陵之概。登攝山，愛其泉，因號
攝泉居士。詩務道性情，不為奇險。」*162*許榮亦將文物收藏、旅遊與藏書生活
相互結合。

　　上元藏書家盛時泰，除藏書外，也加入了旅遊、詩酒文會、飲茶、書法繪
畫等興趣。「性好佳山水，興到輒往，不關家人知。平生未嘗問生計，喜賓客，
四方客至者嘗滿座，日與飲酒賦詩，閒舉古玩書畫贈遺之，不惜也，其脫落不
羈，皆如此類。後以貢至京師，歸未及仕，遊大城山偶疾，卒於途。善隸書，
畫山水木石，效倪雲林（倪瓚）筆法。」*163*「每日早起，坐『蒼潤軒』，或改
《兩京賦》，或完詩文之債。命僮子焚香煮茗，若待客者。客至，灑筆以成酬
歌，和墨以藉談笑。」*164*其藏書生活內容豐富有趣，令人嚮往。

　　上元藏書家顧璘，以南京刑部尚書致仕。「既歸，構『息園』，大治幸舍
居客。客常滿，妓樂雜作，風流文采，輝映一時。」*165*又「築『屏山小隱』、
『松塢草堂』以修祀事、託棲隱。」*166*「璘居官持大體，勤學好書，倥傯不廢。

161 《倪文僖集》，卷28，〈故靖菴處士李公墓誌銘〉，頁26下-27上。

162 《金陵通傳》，卷14，〈許榮〉，頁393。

163 《國朝獻徵錄》，卷115，〈盛仲交時泰傳〉，頁68上-下。

164 《二續金陵瑣事》，下卷，〈改兩京賦〉，頁342。

165 《金陵通傳》，卷15，〈顧璘〉，頁429。

166 《開有益齋讀書志》，卷6，〈顧東橋鞠誚倡和詩〉，頁374。

居間無事，多縱遊山水間，觸詠自適者十餘年。」[167]綜上所述，可知在顧璘的藏書生活中，還揉合了園林、文酒高會、祭祀與旅遊等癖好於其中。其後，同縣藏書家姚汝循，也屬此類的南京藏書家。「晚年益究心性宗旨，參訪名緇，研習禪觀，白黑之月，[168]茹素幾半。近世儒釋，頗有任心意、遺修證者，先生大非之，以淨業爲實際，謂格物即克己。」[169]姚汝循亦結合藏書與禮佛參禪、游山訪僧、養生茹素等活動，作爲生活依託。

　　總之，明代的文士深信尚趣之人必不致庸俗，而至性之人，也必因其癖好而顯得好事。惟有具備好事性格，才算是真正親近古人，也才真正得以擺脫世間利祿競逐的萬般俗態，徹底投身於癖嗜的精神世界，讓心靈得到無比的快樂與滌淨。一般而言，舉凡癖好之延伸則爲好事，尤其是多癖之人，往往更加能顯現其好事性格，[170]也成爲明代南京藏書家尚趣精神的表徵。當時不論在南京的文人圈裡，甚至是官場上，藏書家的尚趣性格無所不在，充斥於日常生活當中。

---

167 明・林之盛，《皇明應諡名臣備考錄》（《明代傳記叢刊》57，臺北：明文書局，1991
　　年元月初版），卷 10，〈文章名臣〉，頁 518。

168 朔日月黑，望日月白，此指每一個月。

169 《快雪堂集》，卷 12，〈前大名知府姚叙卿先生墓志銘〉，頁 4 下-5 上。

170 《明代的蘇州藏書──藏書家的藏書活動與藏書生活》，頁 183-185。

第六章　結語

　　私家藏書作為中國古代藏書事業的一個重要組成部份，無論是列架連屋的藏書規模，或是精心設計的藏書樓建築實體，還是透過長期實務經驗積累而總結出來的圖書保護措施，以及形成的習俗風尚與藏書家們的收藏心態，無一不為豐富的文化結晶。私家藏書本因學術而生，為治學而藏，因此，藏書家和學問家們，非常容易合而為一，冀以達到透過收藏典籍而實現學術傳播、衍生等目的。尤其是藏書世家，既以文獻的收藏與傳承為己任，也經常更以學術的編纂和傳衍為使命。中國的私家藏書文化，既有如藏書風尚、習俗、藏書心態，以及有關整理、研究典籍的知識等精神層面的內涵，也有圖書、藏書樓、藏書印，以及圖書的交換和流通等屬於實務經驗的方法。[1]

　　綜觀歷代藏書的發展，中國古代私人藏書在文化地理分佈上的特點，多半是從一個中心點向周圍地區擴散開來；同時，周圍地區的藏書事業，也會向中心地點逐步靠攏，這種離散和向心的交互作用，便形成了區域私人藏書文化。再從私人藏書的地理分佈情況來看，歷史上每一個藏書區域，至少都會有一個以上的中心城市，而這一個或數個中心城市，往往在功能上都具有多重面向的特質，即兼為政治、經濟、文化、交通等中心的職能。就一般而言，私人藏書區域可分為二種類型：[2]

1. 單一中心型：即一個區域只有一個中心城市，通常為國都的所在地，因為國都一般是當時的政治、經濟、文化和交通中心。

1　羅竹蓮，〈中國古代私家藏書文化淺析〉，《時代文學》，2008 年第 8 期，頁 87-88。
2　胡先媛，〈中國古代私人藏書的文化地理狀況研究〉，頁 29。

2. 多中心型：即一個區域內有多個中心城市，且這些城市相互聯繫緊密，交織成網絡關係，私人藏書事業興盛。

　　另一方面，大陸學者鄭衡泌也曾經針對中國歷代史料上可考的 2,651 位藏書家及其籍貫，進行觀察、統計與分析，並指出：[3]

1. 安定的社會環境和經濟的繁榮與發展，是藏書家成長和發展的決定性基礎，也決定著藏書家的分佈態勢，特別是集中分佈中心成長和穩定存在的首要條件。

2. 社會動亂，是藏書家集中分佈中心轉移和萎縮，甚至消失的強制性動因。

3. 長期非文化性政治環境，對藏書家群體的萎縮，影響甚鉅。

4. 政治中心的形成和遷移，對藏書家的分佈具有一定的影響力，但並非決定性的作用。

5. 與圖書生產有關的技術發明、普及和推廣，以及與藏書活動相關的文化活動和人群的成長、分佈、遷移等，都與藏書家群體的分佈、發展和遷移息息相關，形成相輔相成、互相促進的作用。

6. 藏書傳統和基礎，具有明顯的歷史繼承性，因而對於藏書家的分佈，也具有一定的影響。

　　明代進入了中國封建社會的成熟期，文化教育事業受到了政府與社會的高度重視，雕版印刷與活字印刷也相當普及，圖書的編纂與出版事業亦十分興盛，凡此種種，都爲明代私家藏書的發展，創造出有利的契機和條件，終於造就了明代成爲中國古代私家藏書發展史上的一段黃金時期。一般認爲，明代的私家藏書規模大、數量多、種類齊全，從藏書規模、數量、品質與價值等方面來看，明代的私家藏書甚至已經超越了同時代的官府藏書，並且在圖書收藏、整理、保護和書目編製等方面，均呈現出獨特的時代風貌；特別是藏書理論方面，也

3　鄭衡泌，〈中國歷代藏書家籍貫屬地的地理分布和變遷〉，《經濟地理》，2004 年第 3 期，頁 353-354。

有卓越的建樹。[4]明、清以來的私家藏書，不僅表現爲藏書家隊伍的壯大、藏書數量的龐大，還表現爲藏書家於板本、目錄學知識的系統化、科學化。尤其是他們透過對前代典籍的精細整理和校刊，爲中國古代的私家藏書史，寫下了最爲燦爛的一頁。[5]

　　明末松江府華亭縣的藏書家陳繼儒曾經指出，中國歷史上的公家藏書，在文化的保存與傳續上，確實不如私家藏書。他認爲國家藏書盡聚古今天下之圖籍，且歷代的數量都十分龐大，然一旦不幸遭逢戰亂浩劫，就毀損殆盡成爲書厄，反而不如貯之於私人家藏，比較能夠分散風險。他說：

> 嘗考古今圖籍之富，隋嘉則殿三十七萬卷，唐麗正殿二十萬餘卷，宋崇文書院八萬卷。凡一切竹簡韋編，靈文秘簡，或掌于宮人，或繕寫于五品之子弟，或精較于上哀，或懸官爵金帛廣募於四方，四方有應有不應，而兵燹復出而厄之，不如民間之故家野老，猶有存十一於千百者。[6]

觀此，明代的私家藏書，在中國藏書史上可謂處於舉足輕重的地位，並且發揮著重要的歷史作用。首先，明代藏書家保存了文化的遺產。其二，明代私家藏書開闢了目錄學、圖書館學的新領域。其三，明代私家藏書深深影響著清代的私家藏書事業。[7]

　　一個民族的文化，有賴於記載文化資訊的載體－書籍的流傳，而得以延續。圖書，是一種社會文化的現象，也是社會政治、經濟、文化、科學技術的反映和沉澱。[8]這些書籍遺產，除了歷來政府的收藏以外，私人藏書的作用，似乎顯得更加重要。古代許多著名的學者，同時也是著名的藏書家，他們在藏書、讀

4　牛紅亮、張小玲，〈略論明代的私家藏書〉，頁33。
5　《圖書收藏及鑒賞》，頁180。
6　《陳眉公先生全集》，卷23，〈聚書樓記〉，頁23下。
7　王美英，〈試論明代的私人藏書〉，《武漢大學學報》哲學社會科學版，1994年第4期，頁119。
8　《圖書收藏及鑒賞》，頁35。

書、校書、著書等活動中,表現出精心收藏、克苦校讀、勤奮著述的精神和風氣,正是民族寶貴的精神財產。[9]

　　然而中國古代的藏書家們,絕大多數是典籍一旦歸己,即束之高閣,深藏秘扃不以示人,往往只提供給自己的家人或家族成員們閱讀或校勘而已。但是,並非所有的藏書家皆藏而不用,從許多明代南京藏書家的藏書故實當中,仍可看到爲數不少開明的藏書家,透過藏、抄、閱、贈、獻、校、輯、刻等幾種書籍共享與傳播的方式,使許多斷簡殘篇化身善本而免於湮沒,在瀕臨滅絕之時獲得重生。事實上,中國浩如煙海的古代圖書之所以能夠流傳至今,正是仰賴累朝歷代的藏書家們,利用畢生持續不懈的抄書、借閱、校勘、輯佚、典藏、記錄、整理、刊印等藏書活動,才得以完成的。[10]

　　明代末年,南京私人藏書風氣已達空前鼎盛。爲了流通各家所藏,南京的藏書家與藏書家之間,甚至還出現了私下訂立互抄藏書約定的情況。譬如同樣居住在上元縣的兩位大藏書家黃虞稷與丁雄飛,便曾經訂立「古歡社約」,相約每月的十三日,丁至黃家抄書;二十六日,黃至丁家抄書,且規定該二日,東道主必須設飯款待。[11]如此流風,不但更加突顯出明代南京藏書家社群之間互助互益的友善氛圍,也更成就了中國藏書史上一段難能可貴的藏書佳話。[12]「古歡社約」,是丁、黃兩家之間,文獻資源分享的協議書,也是中國古代藏書家之間,實行資源共享的第一份文獻。[13]

　　尤其在明清鼎革之際,各地兵馬倥傯,烽煙漫天,戰爭無情地焚燬或打散了朝廷金匱石室的許多歷代珍藏,而天下的官私藏書,也同樣遭受到烈焰之流毒波及。幸賴當時各地的藏書家們辛勤地奔走購藏,才保存了一部份的古代圖書。而南京藏書家在這場浩劫當中,同樣也爲保存中國的古代典籍而付出很多的心力,同時也成就了許多的歷史貢獻。當時蘇州府常熟縣的藏書家錢謙益,

<hr>

9 牛紅亮,〈黃居中父子與《千頃堂書目》〉,《圖書與情報》,2003 年第 6 期,頁 70。
10 馮方、荊孝敏,〈私人藏書樓中的資源共享思想〉,頁 142。
11 丁宏宣,〈明代著名藏書家黃居中父子〉,《圖書與情報》,1993 年第 3 期,頁 79。
12 徐雁,〈丁雄飛及其「古歡社」〉,《書屋》,1996 年第 2 期,頁 62。
13 牛紅亮,〈黃居中父子與《千頃堂書目》〉,頁 70。

便曾經盛讚南京上元縣的藏書家黃居中、黃虞稷父子對保存古代典籍的功勞，他說道：「今晉江黃氏，顧能父子藏書，及于再世。一畝之宮，環堵之室，充棟宇而溢機杼者，保全于刦火洞然之後，豈不難哉！」[14]

誠然，私家藏書在我國圖書館史上占有相當重要的地位。作為私有財產的保管者，對保存文獻典籍的數量、完整和傳世，功大於弊，可說是我國早期的圖書館雛型。[15]雖然，私家藏書的歷史使命或許曾因現代圖書館的崛起而結束，但是私家藏書的生命，卻因融入了現代圖書館而得以永續延綿，並且生機無限，使得私家藏書的作用與貢獻，也因而沒有盡頭。[16]

總之，藏書文化對一個地方人文環境的塑造，影響可謂至為深遠，同時也是一方學術文化的孕育源地，以及培養學問家的搖籃。[17]就明代南京的經濟與私人藏書事業的關係來看，可以得知區域經濟的發展，往往造成古代地方私人藏書事業的鼎盛；而藏書事業的發達，諸如著書、售書、刻書、抄書……等文化活動，也促進了區域經濟與學術文化的繁榮。誠如今日學者所呼籲，藏書與讀書，豐富了人們的文化生活，開拓了視野，並造就出人材，提高生活品味。且在社會生活當中，知識和良好的文化素養，正是人們交往與相處的基礎。惟有提倡藏書與閱讀文化，才能追求更高層次的文明，也才能更快地推動地區的經濟發展。因此，藏書活動在經濟與文化生活當中，確實非常重要。[18]

南京向為人文萃華、學問富庶之區，透過本書的探索，期盼可以使讀者們對於明代南京藏書家的藏書生活與文化，獲得更為深入的認知。其中包含對本地藏書家的掌握、藏書故實的整理、藏書性質的歸結、藏書社群的分析、藏書活動的通究，以及藏書生活的內容、意義與影響等各種文化現象的衍生與傳佈，

14　《牧齋有學集》，卷26，〈黃氏千頃齋藏書記〉，頁995。

15　焦玲，〈淺論古代私人藏書家對圖書事業的貢獻〉，《歷史研究》，1998年第1期，編後頁。

16　蕭東發、袁逸，〈中國古代藏書家的歷史貢獻〉，頁49。

17　曉荷、好虛，〈中國的藏書文化與私家藏書樓〉，頁53。

18　桑良至，〈藏書與經濟發展〉，《安徽大學學報》哲學社會科學版，1997年第2期，頁72。

讓明代南京藏書家生活文化裡的許多面向，得以公諸於世。當然，除了還原明朝南京藏書文化的眞實樣貌以外，相信也可爲中國古代的圖書館歷史，再添光采的一頁。

附錄一：
明代南京藏書家知見表

編號	姓名	生卒年	籍貫與居住地	藏書事蹟	資料來源（僅舉一種為例）
1.	王舉直	不詳	金陵	多畜善本	明・貝瓊，《清江貝先生集》，卷18，〈勤有堂記〉，頁78。
2.	夏鑑	不詳	溧水	掃一室，貯先人所遺書	清・閔沚魯等，《溧水縣志》，卷7，〈夏鑑〉，頁27下。
3.	王顯	不詳	江寧	買書千餘卷，伏而讀之	明・焦竑，《國朝獻徵錄》，卷116，方孝孺〈溪漁子王顯傳〉，頁30下。
4.	鄧仲禮	不詳	江西清江寓居南京	構軒數盈，虛其中以為圖書之室	明・王褒，《王養靜全集》，文集卷1，〈梅軒記〉，頁1上。
5.	伊彤	不詳	南京	藏經史典籍，以至律呂、曆數、天文、地理、醫藥等書	明・牛若麟等，《崇禎・吳縣志》，卷49，頁6下。
6.	蔣用文	1351-1424	句容縣籍居住江寧	盛貯羣籍	明・張萱，《西園聞見錄》，卷8，〈蔣武生〉，頁9下。
7.	徐昱	1391-1465	南京	庋列圖書，自聖經及諸史百氏，靡不貯儲	明・倪謙，《倪文僖集》，卷28，〈靜菴徐處士墓誌銘〉，頁23下。
8.	李詠	1401-1467	上元	日以圖史資撿閱，得昔人詩文未刊者，必手自抄訂	明・倪謙，《倪文僖集》，卷28，〈故靖菴處士李公墓誌銘〉，頁26上。
9.	孫本	1403-1475	上元	好蓄書籍，累千數百卷不已	明・倪謙，《倪文僖集》，卷29，〈明故奉政大夫修正庶尹荊府長史司右長史孫公墓誌銘〉，頁35上。

10.	金紳	1434-1482	上元	一無所好，惟好積書	明·丘濬，《瓊臺詩文會稿重編》，卷20，〈金侍郎傳〉，頁22下。
11.	張瑄	1417-1494	江浦	聚書萬卷	明·王道端，《皇明名臣琬琰錄》，後集卷20，〈南京刑部尚書張公墓誌銘〉，頁5上。
12.	張晟	不詳	上元	多購書藏之	清·陳作霖，《金陵通傳》，卷16，〈張翊〉，頁445。
13.	張翊	1485-1511	上元	某坊火，翊曰：「吾里也，恐燬吾書」	清·陳作霖，《金陵通傳》，卷16，〈張翊〉，頁446。
14.	史學	1454-1513	溧陽	本朝諸名家文集，訪抄無遺	明·王鴻儒，《文莊凝齋集》，卷5，〈大明前山東左參政史公墓誌銘〉，頁17下。
15.	史忠	1438-1519	上元	作「臥痴樓」于治城之麓，列圖史敦彝	清·陳栻等，《上元縣志》，卷20，〈史忠〉，頁33上。
16.	梅純	不詳	江寧	所藏書，皆手自抄校	明·張萱，《西園聞見錄》，卷12，〈梅純〉，頁27上。
17.	許榮	不詳	上元	多蓄古書，鏤板緗帙	清·陳作霖，《金陵通傳》，卷14，〈許榮〉，頁393。
18.	顧紋	不詳	上元	藏書千卷	明·儲巏，《柴墟文集》，卷8，〈賀愚逸顧處士六褒貤封序〉，頁1下。
19.	徐霖	1462-1538	上元	家多藏書，海內志書尤夥	明·顧起元，《客座贅語》，卷6，〈衡山贈髯仙句〉，頁205。
20.	羅鳳	1465-?	江西泰和附南京水軍右衛，居上元縣	建「芳瀾閣」以儲書，所藏法帖名畫、金石遺刻數千種	清·陳作霖，《金陵通傳》，卷16，〈羅鳳〉，頁472。
21.	顧璘	1476-1545	上元	明時金陵收藏家	清·朱緒曾，《開有益齋讀書志》，卷3，〈元牘記〉，頁179。
22.	黃琳	不詳	上元	家多藏書，長於藝文	明·周暉，《二續金陵瑣事》，下卷，〈欣慕編〉，頁337。

23.	王暐	不詳	句容	世味一切無所好，顧獨好書，購樓貯之	明・過庭訓，《明分省人物考》，卷 13，〈王暐〉，頁 9 上。
24.	司馬泰	不詳	江寧	藏書極富	清・朱緒曾編，《金陵詩徵》，卷 19，〈司馬泰〉，頁 22 上。
25.	羅熹	不詳	上元	印岡太守（羅鳳）藏金石甲都城，元孫原溥（羅熹）許借觀	清・朱緒曾，《開有益齋讀書志》，卷 2，〈帝里明代人文略〉，頁 79。
26.	謝少南	不詳	上元	明時金陵收藏家	清・朱緒曾，《開有益齋讀書志》，卷 3，〈元牘記〉，頁 180。
27.	盛時泰	1529-1578	上元	家多藏書	明・顧起元，《客座贅語》，卷 10，〈讀書題識〉，頁 316。
28.	黃甲	不詳	南京	以收藏名	清・朱緒曾，《開有益齋讀書志》，卷 3，〈元牘記〉，頁 181。
29.	胡汝嘉	不詳	南京	南都前輩藏書之富者	明・顧起元，《客座贅語》，卷 8，〈藏書〉，頁 253。
30.	姚汝循	1535-1597	上元	蓄古法帖、名書畫甚多	明・馮夢禎，《快雪堂集》，卷 12，〈前大名知府姚叙卿先生墓志銘〉，頁 4 下。
31.	吳自新	不詳	上元	家起「萬卷樓」以藏書	清・陳栻等，《上元縣志》，卷 15，〈吳自新〉，頁 49 下。
32.	李登	?-1609	上元	以收藏名	清・朱緒曾，《開有益齋讀書志》，卷 3，〈元牘記〉，頁 181。
33.	王堯封	1543-1613	上元	酷耆書，繙閱購買無虛日	清・陳作霖，《金陵通傳》，卷 18，〈王堯封〉，頁 528。
34.	焦竑	1540-1620	旗手衛籍居住上元	積書數萬卷	清・黃宗羲，《明儒學案》，卷 35，〈泰州學案四・文端焦澹園先生竑〉，頁 829。
35.	丁璽	不詳	江浦籍居上元	藏書萬卷	清・陳作霖，《金陵通傳》，卷 21，〈丁遂〉，頁 613。
36.	朱之蕃	1546-1624	上元	構「小桃源」於謝公墩北，積鼎彝、書畫其中	清・陳作霖，《金陵通傳》，卷 19，〈朱之蕃〉，頁 558。

37.	朱從義	不詳	上元	金石圖書，摩娑不輟	清·陳作霖，《金陵通傳》，卷19，〈朱之蕃〉，頁558。
38.	顧起元	1565-1628	江寧	以收藏名	清·朱緒曾，《開有益齋讀書志》，卷3，〈元牘記〉，頁181。
39.	吳國賢	不詳	上元	學俸悉以市書，貯大樓	清·陳作霖，《金陵通傳》，卷17，〈吳國賢〉，頁506。
40.	姚福	不詳	上元	每俸入，輒以購書訓子弟	清·陳作霖，《金陵通傳》，卷17，〈姚福〉，頁506。
41.	黃居中	1562-1644	上元	購書數萬卷	清·陳栻等，《上元縣志》，卷19，〈黃居中〉，頁51下。
42.	徐弘基	?-1644	南京	家多藏書	清·陳作霖，《鳳麓小志》，卷2，〈徐輝祖〉，頁136。
43.	丁明登	不詳	江浦籍居上元	遺書二十櫥	清·陳作霖，《金陵通傳》，卷21，〈丁雄飛〉，頁615。
44.	鄭觀光	不詳	上元	縹緗充棟	清·陳作霖，《金陵通傳》，卷21，〈丁雄飛〉，頁616。
45.	鄭埏	不詳	上元	家既多書，繙閱殆遍	清·陳作霖，《金陵通傳》，卷21，〈丁雄飛〉，頁617。
46.	孫國敉	1584-1651	六合	董宗伯（董其昌）時過其寓，繙閱竟日	清·陳作霖，《明代金陵人物志》，不分卷，〈孫拱敉〉，頁322。
47.	朱廷佐	不詳	上元	手寫《古今書目》	清·朱緒曾，《開有益齋讀書志》，卷6，〈朱氏家集〉，頁390。
48.	邢昉	1590-1653	高淳	家多積書	清·陳作霖，《金陵通傳》，卷16，〈邢昉〉，頁463。
49.	丁雄飛	1605-1687	江浦籍居上元	富於鄴架，抄本多至四櫃	清·金鰲輯，《金陵待徵錄》，卷6，〈丁雄飛〉，頁103。
50.	陶汝成	不詳	上元	耆書與雄飛同	清·陳作霖，《金陵通傳》，卷21，〈丁雄飛〉，頁615。
51.	黃虞稷	1629-1691	上元	家有「千頃堂」，藏書最富	清·吳修，《昭代名人尺牘小傳》，卷11，〈黃虞稷〉，頁1下。
52.	魏翰先	不詳	高淳	抄書萬卷	清·芮城等，《高淳縣志》，卷16，〈魏翰先〉，頁17下。

53.	鄭簠	1622-1693	上元	好金石文字，手自摹拓，構「灌木樓」以藏之	清・陳作霖，《金陵通傳》，卷17，〈鄭道先〉，頁507。
54.	鄭印	不詳	南京某衛（金陵）	家多藏書	清・陳作霖，《金陵通傳》，卷17，〈鄭印〉，頁485。
55.	王元坤	不詳	上元	好藏書，每展讀至夜分不休	清・陳作霖，《金陵通傳》，卷18，〈王元坤〉，頁525。
56.	張振英	不詳	江寧	家徒壁立，窗下雜植杞菊，左圖右史	清・陳作霖，《明代金陵人物志》，不分卷，〈張振英〉，頁289-290。
57.	范植	不詳	上元	嗜學不倦，聞人有奇書，必借讀手鈔	清・陳作霖，《明代金陵人物志》，不分卷，〈范植〉，頁340-341。
58.	吳旦華	不詳	上元	嗜學不倦，聞人有奇書，必借讀手鈔	清・陳作霖，《明代金陵人物志》，不分卷，〈范植〉，頁340-341。
59.	周蓼岬	不詳	上元	室中以藁鋪地，書籍縱橫	清・陳作霖，《明代金陵人物志》，不分卷，〈周蓼岬〉，頁421。

說明：

一、本表是爲了方便第三章「明代南京的藏書家」之參照而製。

二、本表按藏書家之卒年，由遠至近依序排列。

三、若藏書家之卒年不詳，則依生年由遠至近排列。

四、若藏書家之生卒年皆不詳，則依其科舉年代（以進士優先，而後舉人、監生、貢生、生員、薦舉等）由遠至近排列。

五、若生卒年、科舉年代皆無，則依其人活動之年代，或其親友、同時代人之生存年代約略加以判定，由遠至近排列。

六、其生卒年、生存年代皆無法判定者，則列於最後。

七、本表籍貫與居住地標注金陵者，爲史料未載明，僅知籍貫與居住地爲南京地區。至於應天府者，則標注南京。

附錄二：
明代南京藏書家家庭科舉仕籍簡表

編號	姓名	科舉	子科舉	孫科舉	資料來源（僅舉一種為例）
1.	王舉直		監生 1 人		明・貝瓊，《清江貝先生集》，卷 18，〈勤有堂記〉，頁 78。
2.	伊彤		諸生 1 人，授尚寶司少卿		明・牛若麟等，《崇禎・吳縣志》，卷 49，頁 6 下。
3.	蔣用文	薦舉			明・王誥等，《江寧縣志》，卷 8，〈流寓〉，頁 12 下。
4.	孫本	進士	貢生 1 人		明・倪謙，《倪文僖集》，卷 29，〈明故奉政大夫修正庶尹荊府長史司右長史孫公墓誌銘〉，頁 34 上-35 上。
5.	金紳	進士	監生 1 人		明・焦竑，《國朝獻徵錄》，卷 49，〈又傳〉，頁 5 下-8 上。
6.	張瑄	進士	布政司都事 1 人貢生 1 人嘉興府檢校 1 人舉人 1 人諸生 2 人		明・王道端，《皇明名臣琬琰錄》，後集卷 20，〈南京刑部尚書張公墓誌銘〉，頁 1 上-5 下。
7.	張晟	襲職	舉人 1 人		清・陳作霖，《金陵通傳》，卷 16，〈張翊〉，頁 445-446。
8.	張翊	舉人			清・陳作霖，《金陵通傳》，卷 16，〈張翊〉，頁 445。

9.	史學	進士			明・王鴻儒，《文莊凝齋集》，卷5，〈大明前山東左參政史公墓誌銘〉，頁 17 上。
10.	史忠		上林苑右監丞1人		清・陳作霖，《金陵通傳》，卷 14，〈史忠〉，頁 407。
11.	梅純	進士			明・張萱，《西園聞見錄》，卷 12，〈梅純〉，頁 27 上。
12.	顧紋		進士 1 人		明・儲巏，《柴墟文集》，卷 8，〈賀愚逸顧處士六裘貤封序〉，頁 1 下。
13.	徐霖	諸生			清・朱竹垞，《靜志居詩話》，卷 11，頁 113。
14.	羅鳳	進士			清・佟世燕等，《江寧縣志》，卷 10，〈羅鳳〉，頁 67 上。
15.	顧璘	進士		監生 1 人 諸生 4 人	清・陳作霖，《明代金陵人物志》，頁 288-289。
16.	黃琳	錦衣衛指揮			清・陳作霖，《金陵通傳》，卷 14，〈黃琳〉，頁 408。
17.	王暐	進士			明・過庭訓，《明分省人物考》，卷 13，〈王暐〉，頁 7 下。
18.	司馬泰	進士			清・朱緒曾編，《金陵詩徵》，卷 19，〈司馬泰〉，頁 21 下。
19.	羅燾	監生			清・聖祖，《御選宋金元明四朝詩》，卷 2，〈御選明詩・姓名爵里二〉，頁 34 下。
20.	謝少南	進士			清・朱彝尊，《明詩綜》，卷 46，〈謝少南二首〉，頁 44 上。
21.	盛時泰	監生	諸生 1 人	諸生 1 人	清・陳作霖，《金陵通傳》，卷 14，〈盛時泰〉，頁 413-415。
22.	黃甲	進士			清・聖祖，《御選宋金元明四朝詩》，卷 4，〈御選明詩・姓名爵里四〉，頁 4 上。

23.	胡汝嘉	進士			清·陳田，《明詩紀事》，卷 11，〈胡汝嘉〉，頁 622。
24.	姚汝循	進士			明·馮夢禎，《快雪堂集》，卷 12，〈前大名知府姚叙卿先生墓志銘〉，頁 2 上-下。
25.	吳自新	進士	舉人 1 人		清·陳作霖，《金陵通傳》，卷 18，〈吳自新〉，頁 521-523。
26.	李登	貢生			明·過庭訓，《明分省人物考》，卷 13，〈李登〉，頁 232。
27.	王堯封	進士	諸生 3 人		清·陳作霖，《金陵通傳》，卷 18，〈王堯封〉，頁 527-528。
28.	焦竑	進士	舉人 1 人		明·周暉，《續金陵瑣事》，下卷，〈兩世同榜〉，頁 232。
29.	丁璽	監生			清·陳作霖，《金陵通傳》，卷 21，〈丁遂〉，頁 613。
30.	朱之蕃	進士	監生 1 人		清·徐沁，《明畫錄》，卷 4，〈朱之蕃〉，頁 65。
31.	朱從義	監生			清·陳作霖，《金陵通傳》，卷 19，〈朱之蕃〉，頁 558。
32.	顧起元	進士			清·錢謙益，《列朝詩集小傳》，不注卷數，〈顧起元〉，頁 189。
33.	吳國賢	諸生		諸生 1 人（曾孫）	清·陳作霖，《金陵通傳》，卷 17，〈吳國賢〉，頁 505-506。
34.	姚福	錦衣衛千戶			清·陳作霖，《金陵通傳》，卷 17，〈姚福〉，頁 506。
35.	黃居中	舉人	諸生 1 人，薦博學鴻詞		清·陳田，《明詩紀事》，卷 14 下，〈黃居中〉，頁 109。
36.	徐弘基	襲封魏國公	襲封魏國公 1 人		清·李瑤，《繹史摭遺》，卷 11，〈徐弘基〉，頁 142。
37.	丁明登	進士	貢生 1 人		清·陳濟生，《啓禎兩朝遺詩小傳》，不注卷數，〈丁衢州·附子雄飛〉，頁 197-198。

38.	鄭觀光	舉人			清·陳作霖，《金陵通傳》，卷 21，〈丁雄飛〉，頁 616。
39.	孫國敉	貢生	諸生 1 人 貢生 1 人		清·陳作霖，《金陵通傳》，卷 21，〈孫拱辰〉，頁 611-612。
40.	朱廷佐	諸生			清·朱緒曾，《開有益齋讀書志》，卷 6，〈朱氏家集〉，頁 390。
41.	邢昉	諸生			清·陳作霖，《金陵通傳》，卷 16，〈邢昉〉，頁 463。
42.	丁雄飛	貢生			清·陳濟生，《啓禎兩朝遺詩小傳》，不注卷數，〈丁衢州·附子雄飛〉，頁 198。
43.	黃虞稷	諸生 薦博學鴻詞			清·吳修，《昭代名人尺牘小傳》，卷 11，〈黃虞稷〉，頁 1 上。
44.	魏翰先	貢生			清·芮城等，《高淳縣志》，卷 16，〈魏翰先〉，頁 17 下。
45.	鄭印	武進士	世襲指揮 1 人，官至參將		清·陳作霖，《金陵通傳》，卷 17，〈鄭印〉，頁 485。
46.	王元坤	世襲指揮			清·陳作霖，《金陵通傳》，卷 18，〈王元坤〉，頁 525。
47.	張振英	諸生			清·陳作霖，《明代金陵人物志》，不分卷，〈張振英〉，頁 289。

說明：

一、本表是爲了方便第四章第二節「南京藏書家的社群關係」之「一、藏書家庭」的參照而製。

二、本表藏書家排列順序如附錄一，然僅列史料上有記載家庭成員科名或仕籍資料者。

附錄三：
明代南京私家藏書樓（處）簡表

編號	藏書家	藏書樓（處）	資料來源（僅舉一種爲例）
1.	王擧直	勤有堂	明・貝瓊，《清江貝先生集》，卷 18，〈勤有堂記〉，頁 78。
2.	夏鑑	掃一室，貯先人所遺書	清・閔沘魯等，《溧水縣志》，卷 7，〈夏鑑〉，頁 27 下。
3.	鄧仲禮	梅軒	明・王褒，《王養靜全集》，文集卷 1，〈梅軒記〉，頁 1 上。
4.	伊彤	清溪書舍	明・牛若麟等，《崇禎・吳縣志》，卷 49，頁 6 下。
5.	蔣用文	靜學齋	明・張萱，《西園聞見錄》，卷 8，〈蔣武生〉，頁 9 下。
6.	徐昱	怡晚樓	清・朱緒曾，《開有益齋讀書志》，卷 2，〈帝里明代人文略〉，頁 79-80。
7.	李詠	此樂樓	明・倪謙，《倪文僖集》，卷 28，〈故靖菴處士李公墓誌銘〉，頁 26 下。
8.	史學	與客飲散，登樓閱書	明・王鴻儒，《文莊凝齋集》，卷 5，〈大明前山東左參政史公墓誌銘〉，頁 16 下。
9.	史忠	臥痴樓	清・陳栻等，《上元縣志》，卷 20，〈史忠〉，頁 33 上。
10.	許榮	嘉會軒	清・陳作霖，《金陵通傳》，卷 14，〈許榮〉，頁 393。
11.	顧紋	愛日亭	清・朱緒曾，《開有益齋讀書志》，卷 6，〈顧東橋鞠譙倡和詩〉，頁 375。

12.	徐霖	快園	清‧陳作霖，《金陵通傳》，卷 14，〈徐霖〉，頁 407。
13.	羅鳳	芳瀾閣	清‧陳作霖，《金陵通傳》，卷 16，〈羅鳳〉，頁 472。
14.	顧璘	息園	清‧陳作霖，《金陵通傳》，卷 15，〈顧璘〉，頁 429。
15.	黃琳	富文堂	明‧周暉，《金陵瑣事》，卷 3，〈收藏〉，頁 95。
16.	王暐	藏書山房	明‧過庭訓，《明分省人物考》，卷 13，〈王暐〉，頁 9 上。
17.	司馬泰	懷洛園	清‧朱緒曾編，《金陵詩徵》，卷 19，〈司馬泰〉，頁 22 上。
18.	羅鰲	芳瀾閣	清‧朱緒曾，《開有益齋讀書志》，卷 3，〈元牘記〉，頁 179-180。
19.	盛時泰	蒼潤軒	清‧朱緒曾，《開有益齋讀書志》，卷 3，〈元牘記〉，頁 179。
20.	姚汝循	馮夢禎稱其：「蓄古法帖、名書畫甚多。余嘗欲坐先生齋閣，恣探珍玩，而竟未之逮也。」	明‧馮夢禎，《快雪堂集》，卷 12，〈前大名知府姚叔卿先生墓志銘〉，頁 5 上。
21.	吳自新	萬卷樓	清‧陳栻等，《上元縣志》，卷 15，〈吳自新〉，頁 49 下。
22.	焦竑	藏書兩樓，五楹俱滿	明‧祁承㸁，《澹生堂藏書約》，〈藏書訓略‧購書〉，頁 18 上。
23.	王堯封	學惠齋	清‧陳作霖，《金陵通傳》，卷 18，〈王堯封〉，頁 527-528。
24.	朱之蕃	小桃源	清‧陳作霖，《金陵通傳》，卷 19，〈朱之蕃〉，頁 558。
25.	吳國賢	學俸悉以市書，貯大樓	清‧陳作霖，《金陵通傳》，卷 17，〈吳國賢〉，頁 506。
26.	姚福	青溪精舍	清‧陳作霖，《金陵通傳》，卷 17，〈吳國賢〉，頁 506。
27.	黃居中	千頃齋	明‧黃宗羲，《思舊錄》，卷 1，〈黃居中〉，頁 21 下。

28.	丁明登	遺書二十櫥	清·陳作霖，《金陵通傳》，卷21，〈丁雄飛〉，頁615。
29.	鄭觀光	草屋數楹，不改其舊，而縹緗充棟焉	清·陳作霖，《金陵通傳》，卷21，〈丁雄飛〉，頁616。
30.	孫國敉	金陵小館	清·陳作霖，《明代金陵人物志》，不分卷，〈孫拱敉〉，頁322。
31.	丁雄飛	心太平菴	清·陳濟生，《啓禎兩朝遺詩小傳》，不注卷數，〈丁衢州·附子雄飛〉，頁198。
32.	黃虞稷	千頃堂	清·吳修，《昭代名人尺牘小傳》，卷11，〈黃虞稷〉，頁1下。
33.	鄭簠	灌木樓	清·陳作霖，《金陵通傳》，卷17，〈鄭道先〉，頁507。
34.	王元坤	雅娛閣	清·陳作霖，《金陵通傳》，卷18，〈王元坤〉，頁525。
35.	周蓼卹	室中以藁鋪地，書籍縱橫	清·陳作霖，《明代金陵人物志》，不分卷，〈周蓼卹〉，頁421。

說明：

一、本表是為了方便與第五章第二節「藏書的貯存」之參照而製。

二、本表之排列順序，與附錄一同。

三、若無藏書樓（處）名，則酌錄史料所記藏書場所或規模之敘述，或是文會賞鑒場所之名稱，或依史載藏書家所撰文集名稱加以判定。若史料未載藏書處所狀況者，則不錄。

參考文獻

一、古籍史料

（一）一般史籍

元・楊維楨，《東維子集》，32 卷，《景印文淵閣四庫全書》集部 160，臺北：臺灣商務印書館，1986 年 3 月初版。

明・丁雄飛，《九喜楊記》，1 卷，《檀几叢書》，臺北：中央研究院藏清康熙 34 年新安張氏霞舉堂刊本。

明・周暉，《金陵瑣事》，《南京稀見文獻叢刊》2，南京：南京出版社，2007 年 9 月第 1 版。

明・周暉，《續金陵瑣事》，《南京稀見文獻叢刊》2，南京：南京出版社，2007 年 9 月第 1 版。

明・周暉，《二續金陵瑣事》，《南京稀見文獻叢刊》2，南京：南京出版社，2007 年 9 月第 1 版。

明・梅鼎祚，《鹿裘石室集》，65 卷，臺北：故宮博物院藏明天啓 3 年宣城梅氏玄白堂刊本。

明・于慎行，《穀山筆塵》，《元明史料筆記叢刊》，北京：中華書局，1997 年 11 月第 1 版第 2 刷。

明・文徵明，《甫田集》，36 卷，《景印文淵閣四庫全書》1273，臺北：臺灣商務印書館，1986 年 3 月初版。

明・方鵬，《矯亭存稿・續稿》，26 卷，《四庫全書存目叢書》集部 61，臺南：莊嚴文化事業有限公司，1997 年 6 月初版，據南京圖書館藏明嘉靖 14 年刻 18 年續刻本影印。

明・王兆雲，《皇明詞林人物考》，12 卷，《明代傳記叢刊》16，臺北：明文書局，1991 年元月初版。

明・王好問，《春煦軒文集・詩集》，8 卷，臺北：中央研究院藏清同治 6 年刊本。

明・王道端，《皇明名臣琬琰錄》，22 卷，《明代傳記叢刊》44，臺北：明文書局，1991 年 10 月初版。

明‧王褒，《三山王養靜先生集》，10 卷，《續修四庫全書》集部 1326，上海：上海古籍
　　　出版社，2002 年 3 月初版，據北京圖書館藏明成化 10 年謝光刻本影印。

明‧王褒，《王養靜全集》，11 卷，臺北：中央研究院藏明萬曆 16 年序刊本。

明‧王錡，《寓圃雜記》，《元明史料筆記叢刊》，北京：中華書局，1997 年 11 月第 1 版
　　　第 2 刷。

明‧王鴻儒，《文莊凝齋集》，9 卷，臺北：國家圖書館藏明嘉靖 12 年盧州刊本。

明‧丘濬，《瓊臺詩文會稿重編》，24 卷，臺北：國家圖書館藏明天啓元年瓊山丘爾穀等
　　　刊瓊州知府佟湘年修補本。

明‧朱大韶，《皇明名臣墓銘》，8 卷，《明代傳記叢刊》58，臺北：明文書局，1991 年
　　　10 月初版。

明‧朱國禎，《涌幢小品》，北京：文化藝術出版社，1998 年 8 月初版。

明‧江盈科，《江盈科集》，長沙：岳麓書社，1997 年 4 月初版。

明‧何三畏，《雲間志略》，24 卷，《明代傳記叢刊》146，臺北：明文書局，1991 年 10
　　　月初版。

明‧何良俊，《四友齋叢說》，《元明史料筆記叢刊》，北京：中華書局，1997 年 11 月第
　　　1 版第 3 刷。

明‧吳應箕，《留都見聞錄》，《南京稀見文獻叢刊》，南京：南京出版社，2009 年 4 月
　　　第 1 版。

明‧呂留良，《呂晚邨文集》，臺北：臺灣商務印書館，1977 年 3 月初版。

明‧李日華，《味水軒日記》，上海：上海遠東出版社，1996 年 12 月第 1 版。

明‧沈守正，《雪堂集》，11 卷，《四庫禁燬書叢刊》集部 70，北京：北京出版社，2000
　　　年 1 月初版，據中國科學院圖書館藏明崇禎沈尤含等刻本影印。

明‧沈德符，《萬曆野獲編》，《元明史料筆記叢刊》，北京：中華書局，1997 年 11 月第
　　　1 版第 3 刷。

明‧貝瓊，《清江貝先生集》，《四部叢刊初編》集部 81，臺北：臺灣商務印書館，1965
　　　年 8 月臺 1 版，上海商務印書館據烏程許氏藏明洪武本縮印。

明‧周履靖，《明刊本夷門廣牘》，臺北：臺灣商務印書館，1969 年 4 月臺 1 版。

明‧林之盛，《皇明應諡名臣備考錄》，12 卷，《明代傳記叢刊》57，臺北：明文書局，
　　　1991 年元月初版。

明‧胡廣，《胡文穆公文集》，20 卷，《四庫全書存目叢書》集部 28，臺南：莊嚴文化事
　　　業有限公司，1997 年 6 月初版，據復旦大學圖書館藏清乾隆 15 年刻本影印。

明‧胡應麟，《少室山房筆叢》，《讀書劄記叢刊》2，臺北：世界書局，1980 年 5 月再版。

明‧茅坤，《茅鹿門先生文集》，36 卷，《續修四庫全書》集部 1344，上海：上海古籍出

版社，2002 年 3 月初版，據中國科學院圖書館藏明萬曆刻本影印。

明・倪謙，《倪文僖集》，32 卷，《景印文淵閣四庫全書》1245，臺北：臺灣商務印書館，1986 年 3 月初版。

明・夏原吉等，《明太祖實錄》，257 卷，臺北：中央研究院歷史語言研究所，1984 年 5 月再版。

明・孫樓，《刻孫百川先生文集》，12 卷，《四庫全書存目叢書》集部 112，臺南：莊嚴文化事業有限公司，1997 年 6 月初版，據北京大學圖書館藏明萬曆 48 年華滋蕃刻本影印。

明・袁中道，《游居柿錄》，上海：上海遠東出版社，1996 年 12 月初版。

明・袁宏道，《袁中郎全集》，《中國文學名著》6，臺北：世界書局，1990 年 11 月 3 版。

明・張弘道，《皇明三元考》，14 卷，《明代傳記叢刊》19，臺北：明文書局，1991 年 10 月初版。

明・張自烈，《芑山文集》，22 卷，《叢書集成續編》188，臺北：新文豐出版公司，1989 年 7 月臺 1 版，據胡氏豫章叢書本影印。

明・張岱，《陶庵夢憶》，上海：上海古籍出版社，2001 年 5 月初版。

明・張萱，《西園聞見錄》，107 卷，《明代傳記叢刊》116，臺北：明文書局，1991 年 10 月初版。

明・張瀚，《松窗夢語》，《元明史料筆記叢刊》，北京：中華書局，1997 年 11 月第 1 版第 2 刷。

明・郭子章，《青螺公遺書》，36 卷，臺北：中央研究院藏清光緒 8 年冠朝三樂堂刊本。

明・陳繼儒，《岩棲幽事》，1 卷，《四庫全書存目叢書》子部 118，臺南：莊嚴文化事業有限公司，1995 年 9 月初版，據清華大學圖書館藏明萬曆繡水沈氏刻寶顏堂祕笈本影印。

明・陳繼儒，《陳眉公先生全集》，60 卷，臺北：中央研究院藏明崇禎間華亭陳氏家刊本。

明・陸容，《菽園雜記》，《元明史料筆記叢刊》，北京：中華書局，1997 年 12 月第 1 版第 2 刷。

明・陸深，《儼山外集》，34 卷，《景印文淵閣四庫全書》子部 885，臺北：臺灣商務印書館，1986 年 3 月初版。

明・陸紹珩，《醉古堂劍掃》，臺北：老古文化事業股份有限公司，1995 年 5 月臺 1 版第 3 刷。

明・陸楫等，《古今說海》，成都：巴蜀書社，1996 年 12 月初版。

明・焦竑，《焦氏澹園集》，49 卷，《四庫禁燬書叢刊》集部 61，北京：北京出版社，2000 年 1 月初版，據中國科學院圖書館藏明萬曆 34 年刻本影印。

明・焦竑，《國朝獻徵錄》，120 卷，《中國史學叢書》6，臺北：臺灣學生書局，1984 年
　　12 月再版。

明・焦竑，《焦氏筆乘正續》，《人人文庫》特 120，臺北：臺灣商務印書館，1983 年 6 月
　　臺 2 版。

明・焦竑，《澹園集》，北京：中華書局，1999 年 5 月第 1 版。

明・馮夢禎，《快雪堂集》，64 卷，《四庫全書存目叢書》集部 164，臺南：莊嚴文化事業
　　有限公司，1997 年 6 月初版，據北京大學圖書館藏明萬曆 44 年黃汝亨朱之蕃等刻
　　本影印。

明・黃汝亨，《寓林集》，32 卷，《續修四庫全書》集部 1369，上海：上海古籍出版社，
　　2002 年 3 月初版，據湖北省圖書館藏明天啓 4 年吳敬吳芝等刻本影印。

明・黃宗羲，《思舊錄》，1 卷，《清代傳記叢刊》26，臺北：明文書局，1985 年 5 月初版。

明・黃瑜，《雙槐歲鈔》，《元明史料筆記叢刊》，北京：中華書局，1999 年 12 月第 1 版
　　第 1 刷。

明・楊士奇，《東里文集》，25 卷，《四庫全書存目叢書》集部 28，臺南：莊嚴文化事業
　　有限公司，1997 年 6 月初版，據杭州大學圖書館藏明刻本影印。

明・楊士奇，《東里續集》，93 卷，《景印文淵閣四庫全書》集部 177，臺北：臺灣商務印
　　書館，1986 年 3 月初版。

明・費元祿，《甲秀園集》，47 卷，《四庫禁燬書叢刊》集部 62，北京：北京出版社，2000
　　年 1 月初版，據北京大學圖書館藏明萬曆刻本影印。

明・葉盛，《水東日記》，《元明史料筆記叢刊》，北京：中華書局，1997 年 12 月第 1 版
　　第 2 刷。

明・葉盛，《菉竹堂稿》，8 卷，《四庫全書存目叢書》集部 35，臺南：莊嚴文化事業有限
　　公司，1997 年 6 月初版，據山東省圖書館藏清初鈔本影印。

明・解縉，《文毅集》，17 卷，《景印文淵閣四庫全書》1236，臺北：臺灣商務印書館，
　　1986 年 3 月初版。

明・過庭訓，《明分省人物考》，115 卷，《明代傳記叢刊》130，臺北：明文書局，1991
　　年 10 月初版。

明・臧懋循，《負苞堂詩選文選》，9 卷，《四庫全書存目叢書》集部 168，臺南：莊嚴文
　　化事業有限公司，1997 年 6 月初版，據北京大學圖書館藏明天啓元年刻本影印。

明・趙用賢，《松石齋集》，36 卷，《四庫禁燬書叢刊》集部 41，北京：北京出版社，2000
　　年 1 月初版，據北京大學圖書館藏明萬曆刻本影印。

明・劉鳳，《續吳先賢讚》，15 卷，《四庫全書存目叢書》史部 95，臺南：莊嚴文化事業
　　有限公司，1996 年 8 月初版，據中國科學院藏明萬曆刻本影印。

明・劉應秋，《劉大司成文集》，16 卷，臺北：中央研究院藏明吉水劉氏家刊本。

明・蕭士瑋，《偶錄》，2 卷，《四庫禁燬書叢刊》集部 108，北京：北京出版社，2000 年 1 月初版，據北京大學圖書館藏清光緒刻本影印。

明・錢棻，《蕭林初集》，8 卷，《四庫未收書輯刊》陸輯 28，北京：北京出版社，2000 年 1 月初版，據明崇禎刻本影印。

明・儲巏，《柴墟文集》，15 卷，《四庫全書存目叢書》集部 28，臺南：莊嚴文化事業有限公司，1997 年 6 月初版，據山東大學圖書館藏明嘉靖 4 年刻本影印。

明・謝肇淛，《五雜俎》，上海：上海書店出版社，2001 年 8 月初版。

明・羅欽順，《整菴先生存稿》，25 卷，臺北：國家圖書館藏明嘉靖 31 年泰和羅氏家刊本。

明・顧起元，《客座贅語》，《元明史料筆記叢刊》，北京：中華書局，1997 年 11 月初版第 2 刷。

清・孔尚任，《桃花扇》，北京：人民文學出版社，1959 年 4 月第 1 版。

清・王士禎，《池北偶談》，《清代史料筆記叢刊》，北京：中華書局，1997 年 12 月初版湖北 3 刷。

清・王弘撰，《山志》，《元明史料筆記叢刊》，北京：中華書局，1999 年 9 月第 1 版。

清・王國棟，《邱文莊公年譜》，1 卷，（《北京圖書館藏珍本年譜叢刊》39，北京：北京圖書館出版社，1999 年 4 月初版，據清光緒 24 年刻本影印。

清・王鴻緒，《明史稿列傳》，185 卷，《明代傳記叢刊》97，臺北：明文書局，1991 年元月初版。

清・朱緒曾，《金陵詩徵》，44 卷，臺北：中央研究院藏清光緒 18 年刊本。

清・朱彝尊，《明詩綜》，100 卷，《景印文淵閣四庫全書》1459，臺北：臺灣商務印書館，1986 年 3 月初版。

清・朱彝尊，《經義考》，300 卷，《景印文淵閣四庫全書》史部 680，臺北：臺灣商務印書館，1986 年 3 月初版。

清・朱彝尊，《靜志居詩話》，24 卷，《明代傳記叢刊》8，臺北：明文書局，1991 年 10 月初版。

清・朱彝尊，《曝書亭集》，臺北：世界書局，1989 年 4 月再版。

清・吳修，《昭代名人尺牘小傳》，24 卷，《清代傳記叢刊》30，臺北：明文書局，1985 年 5 月初版。

清・李桓，《國朝耆獻類徵初編》，484 卷，《清代傳記叢刊》182，臺北：明文書局，1985 年 5 月初版。

清・李富孫，《鶴徵前錄》，存 1 卷，《清代傳記叢刊》13，臺北：明文書局，1985 年 5 月初版。

清‧李瑤，《繹史摭遺》，18 卷，《明代傳記叢刊》105，臺北：明文書局，1991 年 10 月初版。

清‧汪琬，《堯峰文鈔》，50 卷，《四部叢刊初編》277，上海：上海書店，1989 年 3 月版，據林佶寫刊本縮印。

清‧周亮工，《賴古堂集》，25 卷，《清人別集叢刊》，上海：上海古籍出版社，1979 年 5 月第 1 版，據南京圖書館藏原刻本影印。

清‧查繼佐，《罪惟錄‧列傳》，32 卷，《明代傳記叢刊》86，臺北：明文書局，1991 年元月初版。

清‧孫琮，《山曉閣選明文全集》，24 卷，臺北：中央研究院藏清康熙 16 年刊本。

清‧徐泌，《明畫錄》，7 卷，《明代傳記叢刊》72，臺北：明文書局，1991 年 10 月初版。

清‧徐開任，《明名臣言行錄》，95 卷，《明代傳記叢刊》53，臺北：明文書局，1991 年 10 月初版。

清‧秦瀛，《己未詞科錄》，12 卷，《清代傳記叢刊》14，臺北：明文書局，1985 年 5 月初版。

清‧國史館，《清史列傳》，80 卷，《清代傳記叢刊》104，臺北：明文書局，1985 年 5 月初版。

清‧張廷玉，《明史》，332 卷，《百衲本二十四史》，臺北：臺灣商務印書館，1988 年 1 月臺 6 版。

清‧張廷玉等，《新校本明史》，《中國學術類編》，臺北：鼎文書局，1998 年 8 月 9 版。

清‧陳田，《明詩紀事》，187 卷，《明代傳記叢刊》13，臺北：明文書局，1991 年 10 月初版。

清‧陳作霖，《明代金陵人物志》，不分卷，《明代傳記叢刊》150，臺北：明文書局，1991 年 10 月初版。

清‧陳濟生，《啓禎兩朝遺詩小傳》，10 卷，《明代傳記叢刊》12，臺北：明文書局，1991 年 10 月初版。

清‧鄂爾泰等，《詞林典故》，8 卷，《景印文淵閣四庫全書》史部 599，臺北：臺灣商務印書館，1986 年 3 月初版。

清‧黃宗羲，《明儒學案》，62 卷，《明代傳記叢刊》2，臺北：明文書局，1991 年 10 月初版。

清‧聖祖，《御選宋金元明四朝詩》，317 卷，《景印文淵閣四庫全書》1444，臺北：臺灣商務印書館，1986 年 3 月初版。

清‧潘介祉，《明詩人小傳稿》，14 卷，臺北：中央圖書館，1986 年版。

清‧錢謙益，《列朝詩集小傳》，81 卷，《明代傳記叢刊》11，臺北：明文書局，1991 年

10 月初版。

清・錢謙益，《牧齋有學集》，《錢牧齋全集》，上海：上海古籍出版社，2003 年 8 月初版。

清・顧炎武，《原抄本日知錄》，臺北：文史哲出版社，1979 年 4 月初版。

清・顧貞觀，《積書巖宋詩選》，25 卷，《四庫全書存目叢書補編》41，濟南：齊魯書社，2001 年 9 月初版，據北京圖書館藏清康熙刻本影印。

黃嗣艾，《南雷學案》，9 卷，《清代傳記叢刊》26，臺北：明文書局，1985 年 5 月初版。

葡・曾德昭，《大中國志》，上海：上海古籍出版社，1998 年 12 月第 1 版。

（二）方志

明・牛若麟等，《吳縣志》，54 卷，《天一閣藏明代方志選刊續編》19，上海：上海書店，1990 年 12 月初版，據明崇禎刻本影印。

明・王誥等，《江寧縣志》，10 卷，《北京圖書館古籍珍本叢刊》24，北京：書目文獻出版社，不注出版年，據明正德刻本影印。

明・陳沂，《金陵古今圖考》，南京：南京出版社，2007 年 1 月 1 版 2 刷。

明・樊維城等，《海鹽縣圖經》，16 卷，《四庫全書存目叢書》史部 208，臺南：莊嚴文化事業有限公司，1996 年 8 月初版，據復旦大學圖書館藏明天啓刻本影印。

明・聞人詮等，《南畿志》，64 卷，《北京圖書館古籍珍本叢刊》24，北京：書目文獻出版社，不注出版年，據明嘉靖刻本影印。

清・佟世燕等，《江寧縣志》，15 卷，《稀見中國地方志彙刊》10，北京：中國書店，1992 年 12 月第 1 版，據清康熙 22 年刻本影印。

清・芮城等，《高淳縣志》，25 卷，《稀見中國地方志彙刊》12，北京：中國書店，1992 年 12 月第 1 版，據清康熙 22 年刻本影印。

清・曹襲先等，《句容縣志》，12 卷，《中國方志叢書》華中 133，臺北：成文出版社有限公司，1974 年，據清乾隆 15 年修清光緒 26 年重刊本影印。

清・陳作霖，《金陵物產風土志》，1 卷，《中國方志叢書》華中 39，臺北：成文出版社有限公司，1970 年臺 1 版，據清光緒 26 年刊本影印。

清・陳作霖，《金陵通傳》，49 卷，《中國方志叢書》華中 38，臺北：成文出版社有限公司，1970 年 8 月臺 1 版，據清光緒 30 年刊本影印。

清・陳作霖，《鳳麓小志》，4 卷，《中國方志叢書》華中 39，臺北：成文出版社有限公司，1970 年臺 1 版，據清光緒 26 年刊本影印。

清・陳栻等，《上元縣志》，24 卷，《稀見中國地方志彙刊》11，北京：中國書店，1992 年 12 月第 1 版，據清康熙年間刻本影印。

清・陳詒紱，《鍾南淮北區域志》，1 卷，《中國方志叢書》華中 39，臺北：成文出版社有限公司，1970 年臺 1 版，據清光緒 26 年刊本影印。

清・閔沄魯等，《溧水縣志》，10 卷，《北京圖書館古籍珍本叢刊》24，北京：書目文獻
　　　出版社，1988 年，據清順治刻本影印。
清・金鰲，《金陵待徵錄》，10 卷，《中國方志叢書》華中 438，臺北：成文出版社有限公
　　　司，1983 年 3 月臺 1 版，據清道光 24 年刊本影印。
清・應寶時等，《上海縣志》，34 卷，《中國方志叢書》華中 169，臺北：成文出版社有限
　　　公司，1975 年臺 1 版，據清同治 11 年刻本影印。

二、近人論著

（一）專書

王紹仁，《江南藏書史話》，上海：上海古籍出版社，2009 年 6 月第 1 版。
石洪運、陳琦，《圖書收藏及鑒賞》，武漢：湖北人民出版社，1998 年 10 月初版。
任繼愈，《中國藏書樓》，瀋陽：遼寧人民出版社，2001 年 1 月第 1 版。
多洛肯，《明代浙江進士研究》，上海：上海古籍出版社，2004 年 9 月第 1 版。
朱義祿，《逝去的啓蒙－明清之際啓蒙學者的文化心態》，鄭州：河南人民出版社，1995
　　　年 4 月第 1 版。
吳宣德，《明代進士的地理分布》，香港：中文大學出版社，2009 年 2 月初版。
吳晗，《江浙藏書家史略》，臺北：文史哲出版社，1982 年 5 月初版。
李玉安、陳傳藝，《中國藏書家辭典》，武漢：湖北教育出版社，1989 年 9 月第 1 版。
汪闓，《明清蟫林輯傳》，九龍：中山圖書公司，1972 年 12 月香港初版。
沈新林，《明代南京學術人物傳》，南京：南京大學出版社，2004 年 3 月第 1 版。
范金民，《明清江南商業的發展》，南京：南京大學出版社，1998 年 8 月初版。
范鳳書，《中國私家藏書史》，鄭州：大象出版社，2001 年 7 月第 1 版。
夏咸淳，《晚明士風與文學》，北京：中國社會科學出版社，1994 年 7 月初版。
張節末，《狂與逸－中國古代知識份子的兩種人格特徵》，北京：東方出版社，1995 年 10
　　　月初版二刷。
張顯清，《明代後期社會轉型研究》，北京：中國社會科學出版社，2008 年 11 月第 1 版。
戚福康，《中國古代書坊研究》，北京：商務印書館，2007 年 7 月第 1 版。
郭孟良，《晚明商業出版》，北京：中國書籍出版社，2011 年 1 月第 1 版。
陳冠至，《明代的江南藏書－五府藏書家的藏書活動與藏書生活》，臺北：花木蘭文化出版
　　　社，2006 年 9 月初版。
陳冠至，《明代的蘇州藏書－藏書家的藏書活動與藏書生活》，臺北：花木蘭文化出版社，
　　　2007 年 3 月初版。
傅璇琮、謝灼華，《中國藏書通史》，寧波：寧波出版社，2001 年 2 月第 1 版。

楊立誠、金步瀛，《中國藏書家考略》，臺北：文海出版社，1971 年 10 月初版。

劉天振，《明清江南城市商業出版與文化傳播》，北京：中國社會科學出版社，2011 年 5
　　月第 1 版。

劉尚恒，《徽州刻書與藏書》，揚州：廣陵書社，2003 年 11 月第 1 版。

蔡焜、曹培根，《常熟藏書家與藏書樓》，上海：上海文化出版社，2002 年 8 月第 1 版。

顧志興，《浙江藏書家藏書樓》，杭州：浙江人民出版社，1987 年 11 月第 1 版。

加‧卜正民，《明代的社會與國家》，合肥：黃山書社，2009 年 6 月第 1 版。

美‧周紹明，《書籍的社會史：中華帝國晚期的書籍與士人文化》，北京：北京大學出版社，
　　2009 年 11 月第 1 版。

（二）期刊、會議論文

丁宏宣，〈明代著名藏書家黃居中父子〉，《圖書與情報》，1993 年第 3 期，頁 79-80。

于爲剛，〈胡文煥與《格致叢書》〉，《圖書館雜志》，1982 年第 4 期，頁 63-65。

文毅，〈明代私人藏書興旺原因及特徵〉，《黔南民族師專學報》，1999 年第 2 期，頁 98-102。

毛文鼇，〈黃虞稷藏書考略〉，《山東圖書館季刊》，2006 年第 4 期，頁 109-111。

牛紅亮，〈黃居中父子與《千頃堂書目》〉，《圖書與情報》，2003 年第 6 期，頁 70-71：78。

牛紅亮、張小玲，〈略論明代的私家藏書〉，《當代圖書館》，2009 年第 1 期，頁 33-37。

王美英，〈試論明代的私人藏書〉，《武漢大學學報》哲學社會科學版，1994 年第 4 期，
　　頁 115-119。

王國強，〈中國古代藏書的文化意蘊〉，《圖書與情報》，2003 年第 3 期，頁 20-24。

王國強，〈明代文淵閣藏書考述〉，《圖書與情報》，2002 年第 2 期，頁 35-38。

王莉，〈明代中後期南京坊刻插圖本通俗小說考述〉，《明清小說研究》，2008 年第 1 期，
　　頁 64-69。

王達弗，〈胡正言和他的「三譜」—印譜、畫譜、箋譜〉，《東南文化》，1993 年第 6 期，
　　頁 155-161。

王增清，〈明清國子監的藏書和利用〉，《高校圖書館工作》，1993 年第 1 期，頁 30-33：29。

吳智和，〈明人文集中的生活史料－以居家休閒生活爲例〉，收入中國明代研究學會編，《明
　　人文集與明代研究》，臺北：中國明代研究學會，2001 年 12 月初版，頁 135-166。

吳萍莉，〈晚明南京的徽籍刻書家〉，《晉圖學刊》，2001 年第 4 期，頁 65-67。

吳穎，〈南京地區圖書館發展的歷史及現狀〉，《南京體育學院學報》，1995 年第 4 期，
　　頁 48-50。

李慶，〈黃虞稷家世及生平考略〉，《史林》，2002 年第 1 期，頁 20-24。

杜信孚，〈明清及民國時期江蘇刻書概述〉，《江蘇圖書館學報》，1994 年第 1 期，頁 54-55。

汪桂海，〈大本堂考〉，《文獻季刊》，2001 年第 2 期，頁 104-113。

汪燕崗，〈明代中晚期南京書坊和通俗小說〉，《南京社會科學》，2004 年第 10 期，頁 55-59。

汪燕崗，〈雕版印刷業與明代通俗小說的出版〉，《學術研究》，2009 年第 9 期，頁 137-143。

周少川，〈古代私家藏書措理之術管窺〉，《中國典籍與文化》，1998 年第 3 期，頁 21-26。

周少川、劉薔，〈古代私家藏書樓的構建與命名〉，《中國典籍與文化》，2000 年第 1 期，
　　　頁 37-43。

周飛越，〈明代藏書事業繁榮的政治因素探究〉，《新世紀圖書館》，2010 年第 3 期，頁
　　　99-101。

周蓉，〈明朝南京國子監刻印書考略〉，《東南文化》，2003 年第 10 期，頁 67-69。

邱澎生，〈明代蘇州營利出版事業及其社會效應〉，《九州學刊》，第 5 卷第 2 期，1992
　　　年 10 月，頁 139-159。

俞爲民，〈明代南京書坊刊刻戲曲考述〉，《藝術百家》，1997 年第 4 期，頁 43-50。

胡先媛，〈中國古代私人藏書的文化地理狀況研究〉，《圖書情報知識》，1997 年第 2 期，
　　　頁 26-29。

夏金華，〈明末封建士大夫逃禪原因初探〉，《學術月刊》，1998 年第 2 期，頁 69-74。

孫崇濤，〈古代江浙戲曲刻本述考〉，《浙江師範大學學報》社會科學版，2009 年第 3 期，
　　　頁 1-10。

徐永斌、張瑩，〈凌濛初與晚明刻書業〉，《明清小說研究》，2008 年第 3 期，頁 214-228。

徐昕，〈狀元藏書家－焦竑〉，《中國典籍與文化》，2000 年第 2 期，頁 16-20。

徐凌志，〈中國古代的藏書保護理念及措施〉，《江西圖書館學刊》，2006 年第 4 期，頁
　　　58-59。

徐雁，〈丁雄飛及其「古歡社」〉，《書屋》，1996 年第 2 期，頁 61-62。

徐雁，〈金陵書肆記〉，《讀書文摘》，2008 年第 1 期，頁 62-66。

徐雁，〈萬卷圖書一葉舟，相逢小市且邀留－活動於江南古書舊籍市場上的「書船」〉，《圖
　　　書館研究與工作》，2011 年第 4 期，頁 2-5。

徐雁，〈虞山派藏書事蹟〉，《蘇州雜志》，2002 年第 2 期，頁 39-44。

徐雁、譚華軍，〈概論宋明時期的南京書文化史〉，《江蘇圖書館學報》，1997 年第 5 期，
　　　頁 49-52。

徐雁平，〈私家藏書之興衰〉，《讀書》，2005 年第 11 期，頁 103-107。

徐學林，〈明代徽州戲曲出版大家汪廷訥〉，《出版史料》，2004 年第 2 期，頁 87-93。

桑良至，〈藏書與經濟發展〉，《安徽大學學報》哲學社會科學版，1997 年第 2 期，頁 66-72。

袁同禮，〈明代私家藏書概略〉，收入洪有豐、袁同禮等編，《清代藏書家考》，九龍：中
　　　山圖書公司，1973 年 1 月初版，頁 73-80。

高小康，〈精神分裂的時代－明代文人社會形象分析〉，《天津社會科學》，1992 年第 3

期，頁 59-64。

康芬，〈明代私家藏書特點試析〉，《江西圖書館學刊》，2001 年第 4 期，頁 63-64。

張小青，〈明代南京國子監刻印圖書述略〉，《江蘇圖書館學報》，1996 年第 3 期，頁 45-46；29。

張英聘，〈略論明代南直隸修志興盛的原因〉，《江蘇地方志》，2005 年第 1 期，頁 20-23。

曹之，〈明代南監刻書考〉，《晉圖學刊》，1990 年第 2 期，頁 59-63。

許廷長，〈明代南京皇室藏書史述〉，《中國典籍與文化》，1997 年第 4 期，頁 57-59。

郭英德，〈中國古代文人集團論綱〉，《中國文化研究》，1996 年夏，頁 9-15。

郭紹虞，〈明代的文人集團〉，收入郭紹虞，《照隅室古典文學論集》，上海：上海古籍出版社，1983 年 9 月第 1 版），上編，頁 518-526。

郭黎安，〈從《儒林外史》看明清南京的城市風貌〉，《大同高專學報》，1997 年第 3 期，頁 14-19。

陳少川，〈黃虞稷圖書館學成就初探〉，《江蘇圖書館學報》，1998 年第 5 期，頁 13-16。

陳少川，〈黃虞稷藏書概況和圖書館學成就考〉，《圖書館研究》，1998 年第 2 期，頁 94-97。

陳忠平，〈明代南京城市商業貿易的發展〉，《南京師大學報》社會科學版，1986 年第 4 期，頁 39-43。

陳冠至，〈明代江南士人的抄書生活〉，《國家圖書館館刊》，第 98 卷第 1 期，2009 年 6 月，頁 115-143。

陳冠至，〈明代江南藏書家崇尚隱逸的動因〉，《白沙歷史地理學報》，第 6 期，2008 年 10 月，頁 117-162。

陳冠至，〈近十年臺灣地區藏書研究述要（1998-2007）〉，《新生學報》，第 4 期，2009 年 7 月，頁 179-192。

陳冠至，〈論中國古代「藏書家」的定義：以明代為例〉，《教育資料與圖書館學》，第 48 卷第 1 期，2010 年秋，頁 119-144。

陳茂山，〈淺談明代中後期南京社會風氣的轉變〉，《民俗研究》，1991 年第 1 期，頁 24-26。

陳堂發，〈略論明代三山街私刻書坊的大眾文化經營〉，《出版科學》，2010 年第 1 期，頁 5-9。

焦玲，〈淺論古代私人藏書家對圖書館事業的貢獻〉，《歷史研究》，1998 年第 1 期，頁 52-53；65。

雁文，〈南京焦氏五車樓〉，《出版史料》，2002 年第 4 期，頁 1。

項士元，〈浙江藏書家攷略〉，《文瀾學報》，第 3 卷第 1 期，1937 年 3 月，頁 1689-1720。

馮方、荊孝敏，〈私人藏書樓中的資源共享思想〉，《遼東學院學報》社會科學版，2010 年第 2 期，頁 140-145。

黃信初，〈明代版畫藝術發展的區域性特徵分析〉，《湖南科技學院學報》，2006 年第 2 期，頁 290-291。

黃曉霞，〈私家藏書文化論〉，《大同職業技術學院學報》，2000 年第 4 期，頁 35-37。

楊軍，〈明代南京國子監刻書經費來源探析〉，《圖書館雜誌》，2006 年第 7 期，頁 77-79。

葉建萍，〈歷史上的南京書籍業〉，《檔案與建設》，2005 年第 6 期，頁 42-43。

葉貽國，〈《本草綱目》結緣南京〉，《紫金歲月》，1997 年第 6 期，頁 47。

葉樹聲，〈明清金陵坊刻概述〉，《山東圖書館季刊》，1985 年第 4 期，頁 22-25；47。

董清，〈南都繁會圖〉，《華夏地理》，2007 年第 5 期，頁 41-48。

趙子富，〈明代學校、科舉制度與學術文化的發展〉，《清華大學學報》哲學社會科學版，1995 年第 2 期，頁 83-89；98。

趙令揚，〈論明太祖政權下之知識份子〉，收入壽羅香林教授論文集編委會，《壽羅香林教授論文集》（香港：萬有圖書公司，1970 年初版），頁 191-203。

趙長林，〈中國藏書家階層流變史〉，《圖書與情報》，2000 年第 1 期，頁 72-76。

劉中平，〈明代兩京制度下的南京〉，《社會科學輯刊》，2005 年第 3 期，頁 127-129。

劉如仲、苗學孟，〈明代南京的市民生活－明人繪《南都繁會圖卷》研析〉，《東南文化》，2002 年第 7 期，頁 66-70。

劉長青，〈淺談我國古代藏書的使用〉，《黑龍江農墾師專學報》，2003 年第 1 期，頁 121-123。

劉開軍，〈焦竑《國史經籍志》的傳播及其影響〉，《廊坊師範學院學報》社會科學版，2009 年第 3 期，頁 56-58。

劉意成，〈私人藏書與古籍保存〉，《圖書館雜誌》，第 3 期，1983 年 9 月，頁 60-61；47。

蔣復璁，〈兩浙藏書家印章考〉，《文瀾學報》，第 3 卷第 1 期，1937 年 3 月，頁 1721-1745。

鄧宏峰，〈中國古代藏書家保存與傳播文化典籍的貢獻〉，《安陽工學院學報》，2010 年第 3 期，頁 35-37。

鄭衡泌，〈中國歷代藏書家籍貫屬地的地理分布和變遷〉，《經濟地理》，2004 年第 3 期，頁 351-354。

曉荷、好虛，〈中國的藏書文化與私家藏書樓〉，《中國文化遺產》，2006 年第 5 期，頁 48-55。

蕭東發、袁逸，〈中國古代藏書家的歷史貢獻〉，《圖書館理論與實踐》，1999 年第 1 期，頁 46-49。

龍曉英，〈焦竑與戲曲家南京交游考〉，《金陵科技學院學報》社會科學版，2005 年第 3 期，頁 60-64。

龍曉英，〈論焦竑對文獻保存所作的貢獻〉，《傳奇·傳記文學選刊》，2011 年第 2 期，頁 95-96；100。

謝景芳，〈明人士、商互識論〉，《明史研究專刊》，第 11 期，1994 年 12 月，頁 187-200。

謝景芳，〈理論的崩潰與理想的幻滅－明代中後期的仕風與士風〉，《學習與探索》，1998 年第 1 期，頁 124-131。

韓茂莉、胡兆量，〈中國古代狀元分佈的文化背景〉，《地理學報》，1998 年第 6 期，頁 528-536。

韓養民，〈中國風俗文化與地域視野〉，《歷史研究》，1991 年第 5 期，頁 91-105。

魏思玲，〈論黃虞稷的目錄學成就〉，《洛陽師範學院學報》，2000 年第 3 期，頁 135-136。

羅竹蓮，〈中國古代私家藏書文化淺析〉，《時代文學》，2008 年第 8 期，頁 87-88。

嚴迪昌，〈「市隱」心態與吳中明清文化世族〉，《蘇州大學學報》哲學社會科學版，1991 年第 1 期，頁 80-89。

嚴迪昌，〈文化氏族與吳中文苑〉，《文史知識》，1990 年第 11 期，頁 11-17。

蘇廣利，〈我國私家書齋名稱的九大類型〉，《圖書與情報》，2002 年第 1 期，頁 54-58。

日・宮內美智子，〈明代私家藏書考〉，《青葉学園短期大学紀要》，第 4 號，1979 年 11 月，頁 121-126。

LawarenceStone, "Prosopography," in Felix Gilbert;StephenR. Graubard, *Historical Studies Today*, NewYork: Norton,1972, p.107-140.

（三）學位論文

吳東珩，《明代中後期江南地區坊刻圖書的傳播研究》，上海：華東師範大學歷史研究所碩士論文，2010 年 5 月。

許媛婷，《明代藏書文化研究》，臺北：中國文化大學中國文學研究所博士論文，2003 年 6 月。

郭姿吟，《明代書籍出版研究》，臺南：國立成功大學歷史研究所碩士論文，2002 年 6 月。

陳昭珍，《明代書坊之研究》，臺北：國立臺灣大學圖書館學研究所碩士論文，1984 年 7 月。

麥杰安，《明代蘇常地區出版事業之研究》，臺北：國立臺灣大學圖書館學研究所碩士論文，1996 年 5 月。

賓瑩，《黃虞稷研究》，福州：福建師範大學中國古代文學研究所碩士論文，2005 年 4 月。

三、書目題跋

明・祁承爜，《澹生堂藏書約》，《知不足齋叢書》2，臺北：興中書局，不注出版年。

明・郁逢慶，《書畫題跋記》，12 卷，《景印文淵閣四庫全書》子部 816，臺北：臺灣商務印書館，1986 年 3 月初版。

明・殷仲春，《醫藏書目》，1 卷，《明代書目題跋叢刊》下，北京：書目文獻出版社，1994 年元月初版，據舊鈔本影印。

明‧陸樹聲，《陸學士題跋》，2卷，臺北：中央研究院藏明萬曆間刊本。

清‧丁雄飛，《古歡社約》，1卷，《書目類編》91，臺北：成文出版社有限公司，1978年7月初版，據民國46年排印本影印。

清‧朱緒曾，《開有益齋讀書志》，6卷，《書目三編》8，臺北：廣文書局，1969年2月初版。

清‧孫從添，《藏書紀要》，臺北：廣文書局，1987年12月再版。

清‧曹溶，《流通古書約》，1卷，《知不足齋叢書》2，臺北：興中書局，不注出版年。

清‧黃丕烈，《士禮居藏書題跋記》，6卷，臺北：國家圖書書館藏民國6年上海醫學書局影印本。

清‧黃虞稷，《千頃堂書目》，上海：上海古籍出版社，2001年7月第1版。

清‧葉德輝，《書林清話》，臺北：文史哲出版社，1973年12月初版。

四、工具書

清‧錢保塘，《歷代名人生卒錄》，北京：北京圖書館出版社，2002年10第1版。

不注編者，《中日現藏三百種明代地方志傳記索引》，臺北：大化書局，1989年6月再版。

中文大辭典編纂委員會，《中文大辭典》，臺北：中國文化大學出版部，1985年5月7版。

中國社會科學院歷史研究所明史研究室，《中國近八十年明史論著目錄》，鎮江：江蘇人民出版社，1981年2月第1版。

王余光、徐雁，《中國讀書大辭典》，南京：南京大學出版社，1997年9月第1版第4刷。

王德毅，《明人別名字號索引》，臺北：新文豐出版公司，2000年3月臺1版。

池秀雲，《歷代名人室名別號辭典》，太原：山西古籍出版社，1998年元月第1版。

吳智和等，《戰後臺灣的歷史學研究1945-2000‧明清史》，第5冊，臺北：行政院國家科學委員會，2004年初版。

李小林、李晟文，《明史研究備覽》，天津：天津教育出版社，1988年2月第1版。

李玉安、陳傳藝，《中國藏書家辭典》，武漢：湖北教育出版社，1989年9月第1版。

周駿富，《清代傳記叢刊索引》，臺北：明文書局，1986年元月版。

周駿富，《明代傳記叢刊索引》，臺北：明文書局，1991年10月初版。

明史編纂委員會，《中國歷史大辭典‧明史卷》，上海：上海辭書出版社，1995年12月第1版。

姜亮夫，《歷代名人年里碑傳總表》，臺北：臺灣商務印書館，1993年11月臺1版4刷。

孫豰，《中國畫家大辭典》，北京：中國書店，1990年8月第1版第2刷。

國立中央圖書館，《明人傳記資料索引》，臺北：國立中央圖書館，1978年元月再版。

張慧劍，《明清江蘇文人年表》，上海：上海古籍出版社，1986年12月第1版。

梁戰、郭群一，《歷代藏書家辭典》，西安：陝西人民出版社，1991 年 10 月第 1 版。

陳德芸，《古今人物別名索引》，臺北：新文豐出版公司，1978 年 9 月初版。

楊廷福、楊同甫，《清人室名別稱字號索引》，臺北：文史哲出版社，1989 年 11 月臺 1 版。

楊廷福、楊同甫，《明人室名別稱字號索引》，上海：上海古籍出版社，2002 年 12 月第 1 版。

趙毅、欒凡，《二十世紀明史研究綜述》，長春：東北師範大學出版社，2002 年 11 月第 1 版。

蔡金重，《清代書畫家字號引得》，臺北：成文出版社有限公司，1968 年版。

鄭偉章、李萬健，《中國著名藏書家傳略》，北京：書目文獻出版社，1986 年 9 月第 1 版。

盧震京，《圖書學大辭典》，臺北：臺灣商務印書館，1984 年 12 月修訂臺 3 版。

薛仲三、歐陽頤，《兩千年中西曆對照表》，臺北：學海出版社，1993 年 11 月再版。

薛愈，《山西藏書家傳略》，太原：山西古籍出版社，1996 年 8 月第 1 版。

瞿冕良，《中國古籍版刻辭典》，濟南：齊魯書社，1999 年 2 月第 1 版。

譚正璧，《中國文學家大辭典》，北京：北京圖書館出版社，1998 年 9 月第 1 版。

日·山根幸夫，《新編明代史研究文獻目錄》，東京：汲古書院，1993 年 11 月。

L. Carrington Goodrich ＆ Chaoying Fang, *Dictionary of Ming biography, 1368-1644* = 明代名人傳, New York : Columbia University Press, 1976.

Wolfgang Franke, *An introduction to the sources of Ming history*, Singapore ： Kuala Lumpur University of Malaya Press, 1968.

五、網路資源

中央研究院數位文化中心，「數位典藏與數位學習聯合目錄」，
http://catalog.digitalarchives.tw/。

國家圖書館，「國家圖書館古籍影像檢索系統」，
http://rarebook.ncl.edu.tw/rbook/hypage.cgi?HYPAGE=search/search.hpg&flag=d。

國家圖書館出版品預行編目資料

明代南京私人藏書研究

陳冠至著. – 初版. – 臺北市：臺灣學生，2014.08
面；公分

ISBN 978-957-15-1636-3 (平裝)

1. 私家藏書 2. 明代

029.86   103016784

明代南京私人藏書研究

著　作　者：陳　　　　冠　　　　至
出　版　者：臺 灣 學 生 書 局 有 限 公 司
發　行　人：楊　　　　雲　　　　龍
發　行　所：臺 灣 學 生 書 局 有 限 公 司
　　　　　　臺北市和平東路一段七十五巷十一號
　　　　　　郵 政 劃 撥 帳 號：00024668
　　　　　　電　話：(02)23928185
　　　　　　傳　眞：(02)23928105
　　　　　　E-mail：student.book@msa.hinet.net
　　　　　　http://www.studentbook.com.tw

本 書 局 登
記 證 字 號：行政院新聞局局版北市業字第玖捌壹號

印　刷　所：長 欣 印 刷 企 業 社
　　　　　　新北市中和區中正路九八八巷十七號
　　　　　　電　話：(02)22268853

定價：新臺幣三二○元

西 元 二 ○ 一 四 年 八 月 初 版